ELExprés

Curso intensivo de español

Raquel Pinilla
Alicia San Mateo

SGEL

Primera edición, 2009
Segunda edición, 2012

Produce: SGEL – Educación
          Avda. Valdelaparra, 29
          28108 ALCOBENDAS

© Raquel Pinilla
  Alicia San Mateo

© Sociedad General Española de Librería, S. A., 2009

Ilustraciones: Miguel Can
Fotografías: Archivo SGEL
          Cordon Press
          Getty Images
          Firofoto

Maquetación: Dos més dos, edicions. s. l.
Diseño de cubierta: Thomas Hoermann

ISBN: 978-84-9778-475-7
Depósito legal: M-10943-2009
Printed in Spain – Impreso en España

Índice

En el cibercafé

1 Lee el siguiente anuncio y contesta a las preguntas.

CONTACTOS

¡Hola! Mi nombre es Eva y soy noruega. Hablo noruego y también inglés. Ahora estudio español. Busco amigos/as para hablar en español.
Tel.: 654 987 623

1. ¿Cómo se llama?

_____

2. ¿De dónde es?

_____

3. ¿Qué idiomas habla?

_____

2 Completa los diálogos.

3 Completa los diálogos con los verbos entre paréntesis.

1. — Yo (ser) _____ de Francia,
pero mi amigo (ser, él) _____
coreano. Y tú, ¿de dónde (ser)
_____?
➤ Japonés, de Tokio.

2. — ¡Hola! Soy Juan. ¿Cómo (llamarse, tú)
_____?
➤ (Llamarse, yo) _____ María.

3. — Mis amigos y yo siempre (usar,
nosotros) _____ Internet
para buscar información
sobre viajes.
➤ Sí, es una buena idea.

4. — Y vosotros, ¿cuántas horas de español
(estudiar) _____ cada día?
➤ Sólo una.

5. — Luis, te (presentar, yo) _____
a Alejandro Sanz, el cantante pop.
➤ Encantado.

6. — Mis padres (organizar, ellos) _____
unos viajes fantásticos para el verano.
➤ Yo también (viajar) _____ siempre
en verano.

7. — ¿Cuál (ser) _____ la dirección de
Internet de la editorial SGEL?
➤ ¿De SGEL? www.sgel.es

4 Relaciona. ¿Masculino o femenino?

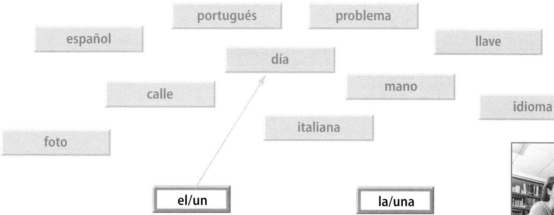

portugués   problema

español   llave

día

calle   mano

idioma

italiana

foto

el/un   la/una

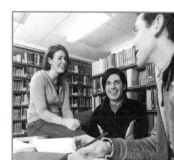

5 Escribe el plural de estas palabras y expresiones.

1. El chico francés   Los chicos franceses
2. Un profesor
3. Un amigo francés
4. El taxi es barato
5. La factura
6. Un ratón
7. La postal
8. El ordenador
9. Una compañera
10. El país

6 Completa la siguiente tabla.

masculino singular	femenino singular	masculino plural	femenino plural
español		españoles	
	francesa		francesas
		suecos	
	japonesa		
		brasileños	
			portuguesas
	belga		
	suiza	suizos	
			marroquíes

7 **Deletrea estas palabras.**

¿Cómo se deletrea…?

anuncio	*a–ene–u–ene–ce–i–o*	apellido	_____
correo electrónico	_____	japonés	_____
empleado	_____	queso	_____
Argentina	_____	[Tu nombre]	_____
comunicación	_____	Universidad	_____

8 **Relaciona la pronunciación con la escritura.**

casa

gato

girar

japonés

quince

piragua

relacionar

portuguesas

cero

[g]

[k]

[χ]

[θ]

general

aquí

página

Pacífico

griega

gente

tango

Jorge

navegar

9 **Lee este texto y escribe un título. Después, resúmelo en dos o tres líneas.**

Daniel Escudero tiene solo doce años y ya navega por internet. Usa un servidor para conectarse: busca información y prepara los trabajos para el colegio. También tiene una dirección de correo electrónico, de Yahoo: *danielete@yahoo.com*. Es muy fácil, ¿verdad?

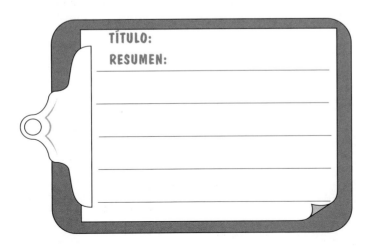

TÍTULO:

RESUMEN:

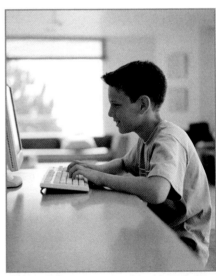

¡Mira! Doble clic en Olé, un buscador en español, y Daniel navega por los mares de internet.

Busco estudiante para compartir piso

UNIDAD **2**

① Selecciona seis de los verbos que aparecen en los anuncios del tablón y escribe una frase con cada uno.

TABLÓN-DE-ANUNCIOS

Busco estudiante para compartir piso. Zona céntrica. Metro y autobuses. 400 euros. 91 254 78 35. Preguntar por Fernando.

¡Estudiantes! Alquilo habitación. Tel.: 91 324 65 78 Zona Príncipe Pío Preguntar por Sra. Blanco

¿Buscas más amigos? C/ Senegal, 32

Para aprender bien español ¡Academia SUPER Ñ! C/ Segovia, 26. Tel.: 91 234 65 74

Vendo diccionario de latín. Pablo. 696 43 21 76.

·¡Victoria, te quiero!

¡Miauuu! Regalo un gatito y dos gatitas Llamar a Marta (noches) Tel.: 91 267 54 30

PROFESOR NATIVO con mucha experiencia. Clases de alemán. Gramática y conversación. Me llamo Hans. Tel.: 602 23 35 67. Hallo

1. _____   4. _____
2. _____   5. _____
3. _____   6. _____

② Completa los diálogos con los verbos entre paréntesis.

1. — ¿Dónde (vivir, ellas) _____ las chicas de Brasil?
   ➤ Cerca de aquí, (ser, ellas) _____ vecinas de Emilio y (compartir, ellas) _____ piso con Andrea.

2. — "(Vender, nosotros) _____ libros usados en buenas condiciones".
   ➤ Esta es una buena oportunidad para comprar libros baratos, ¿verdad?

3. — ¿Qué (hacer, vosotros) _____ el próximo fin de semana?
   ➤ Marga y yo (tener, nosotros) _____ una fiesta en el piso de Ralph.

4. [La profesora a los estudiantes:] ¡Muy bien, chicos! ¡(Aprender, vosotros) _____ muy rápido!

5. "El tren con destino a Bilbao (salir) _____ a las 13.45 horas".
   ➤ Bueno, ya sabemos la hora definitiva.

6. — ¿Cuántos años (tener, tú) _____?
   ➤ Doce, el mes que viene (cumplir, yo) _____ trece.

7. — Mi amiga Marta me (mandar, ella) _____ todos los días un correo electrónico.
   ➤ Pues a mí, mis amigos me (escribir, ellos) _____ muy poco.

2

③ **Fíjate en los adjetivos de la lista. ¿Cuáles son variables -o/-a y cuáles invariables?**

guapo	grande
céntrico	independiente
bueno	natural
difícil	ocupado
libre	pequeño
tranquilo	residencial

ADJETIVOS VARIABLES -o/-a	ADJETIVOS INVARIABLES -e y consonante
guapo/a	

④ **Relaciona estos sustantivos con alguno de los adjetivos del ejercicio anterior. No olvides las concordancias de género.**

Un piso _____
Una zona _____
Un asiento _____
Un taxi _____

Un ejercicio _____
Un diccionario _____
Un periódico _____

⑤ **Completa los diálogos con del/al/de la/a la.**

1. — ¿Dónde está tu casa, Beatriz?

➤ Está cerca _____ metro de Legazpi.

2. — ¿Adónde da la ventana de tu habitación?

➤ Da _____ patio interior, no a la calle.

3. — ¿Cuánto cuesta la Academia Súper Ñ?

➤ Son 25 euros _____ semana, es decir, 100 euros _____ mes.

4. — Oye, ¿quién es ese señor, el que tiene barba?

➤ Es el director _____ Escuela Oficial de Idiomas, es amigo de mi padre.

Para aprender bien español ¡Academia SÚPER Ñ! C/ Segovia, 26. Tel.: 91 234 65 74

6 **Completa con verbos la descripción de Fernando y escribe la de Beatriz.**

Fernando

Se llama Fernando y _____ veinticinco años. _____ en Madrid, en la calle Luisa Fernanda. Ahora _____ una habitación libre en su casa y _____ a alguien para compartir el piso.

Fernando _____ alto y delgado y _____ gafas solo para leer. Viste de una manera muy clásica.

Beatriz

7 **Lee de nuevo el texto de *En otras palabras* y escribe en qué tipo de viviendas crees que viven estas personas y por qué.**

Ⓐ

Ⓑ

Ⓒ

No vivo lejos de aquí

1 Completa las frases con *está(n)* o *hay*.

1. En el cibercafé _____ muchos ordenadores.

2. La Academia "Aprende Todo" _____ lejos de la estación de metro.

3. En el tablón de la clase solo _____ ocho anuncios.

4. La estación de Ópera _____ en la Plaza de Isabel II.

5. — Por favor, ¿_____ una farmacia cerca de aquí?

   ➤ Sí, _____ una al final de la calle.

6. Los servicios _____ a la izquierda.

7. — ¿Cuántas paradas de autobús _____ hasta la Plaza de España?

   ➤ Creo que solo dos más.

8. La tienda de ropa "Chic" _____ al final de la calle, en la acera de la izquierda.

2 Observa los dibujos. ¿Usarías *tú* o *usted* para llamar la atención de estas personas? Explica por qué.

Perdona/perdone...
Oye/oiga...
Mira/mire...

①    ②

③    ④

1. _____

2. _____

3. _____

4. _____

3 **Completa los diálogos con *cuánto, cuánta, cuántos, cuántas*.**

1. — ¿Tú sabes _____ cuesta una

barra de pan en España?

➤ Ni idea, chico, lo siento.

2. — Oye, Alba, ¿_____ gente

hay en tu clase?

➤ Pues, creo que somos unos veinte,

más o menos.

— ¿Y _____ chicos?

➤ ¡Uy! Poquísimos, dos o tres, como

siempre.

3. — Y tú, ¿_____ tardas

en hacer los ejercicios de

español?

➤ No mucho, a mí me parece que

son muy fáciles.

4. — Tengo que ir a Moncloa, ¿sabes

_____ estaciones hay

hasta allí?

➤ Está cerca, desde aquí solo

hay tres.

4 **En estas situaciones, tengo que…**

Para comprender mejor
español… tengo que
escuchar mucho la
radio y la tele y a la
gente que habla
en la calle.

Para tener una buena
nota en el examen…
_____
_____
_____
_____

Para escribir mejor…
_____
_____
_____
_____

Para mejorar mi
gramática…
_____
_____
_____

Cuando no entiendo la
explicación del
profesor…
_____
_____
_____

Para comprender mejor
la tele…
_____
_____
_____

Para hablar mejor…
_____
_____
_____

5 **Escribe en letra los siguientes números.**

50 _____

15 _____

23 _____

29 _____

5 _____

60 _____

40 _____

31 _____

100 _____

3

6 Dibuja un plano esquemático de la zona donde vives.
No olvides las estaciones de metro, las paradas de autobús, los comercios,
los parques y las calles más cercanos.
Escribe la descripción de la zona.

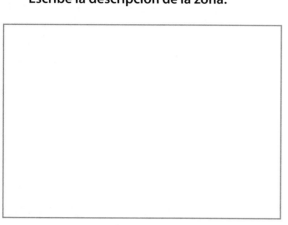

7 Encuentra las ocho diferencias. Después, escribe frases como en el ejemplo.

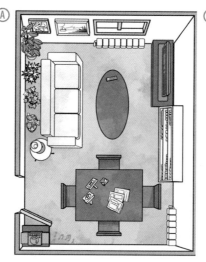
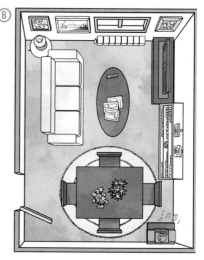

cerca de / lejos de
al lado de
enfrente de
delante de / detrás de
encima de / debajo de
entre … y …

1. *En el dibujo A hay dos cuadros en la pared y en el B hay tres.*

2. _____

3. _____

4. _____

5. _____

6. _____

7. _____

8. _____

ELEXPRÉS • cuaderno de ejercicios

¿Por qué no vamos los tres?

1 ¿Qué crees que va(n) a hacer después? Hay más de una posibilidad.

Ⓐ

Ⓑ

Ⓒ

Los chicos van a secarse con

las toallas. Van a tomar el sol.

Ⓓ

Ⓔ

Ⓕ

2 Completa los diálogos con los verbos con cambio vocálico (e>ie, o>ue, e>i) entre paréntesis.

1. — ¿Qué (querer, tú) _____,
café solo o con leche?
➤ Mejor uno con leche.

2. — Oye, ¿a qué hora (empezar)
_____ el concierto?
➤ Ahora mismo, en cinco minutos.

3. — Mi abuela siempre dice que no
(entender, ella) _____ la
música moderna.
➤ La mía también (pensar, ella)
_____ lo mismo.

4. — No (recordar, yo) _____ a
qué hora abre el mercado de la
Paloma.
➤ Creo que a las nueve y (cerrar)
_____ a las dos.

5. "(Pensar, yo) _____, luego existo".

6. — ¡Qué pena! No (poder, nosotros)
_____ ir a Toledo el sábado
que viene.
➤ Pues sí que lo siento.

7. — Mira, vámonos, en esta tienda no
(encontrar, yo) _____ el CD
de Paulina Rubio.
➤ Creo que lo (tener, ellos)
_____ en la FNAC.

8. — "Luis, voy a ir al cine esta noche. Si
(poder, tú) _____ o (querer,
tú) _____ venir, llámame
antes de las siete".
➤ ¡Vaya! He oído tarde el mensaje del
contestador, ya son las ocho.

4

3 Lee los planes de Marcos para después del verano.
¿Por qué crees que tiene todos esos proyectos?

Ⓐ Voy a hacer deporte todos los días

Ⓑ Voy a aprender flamenco

Ⓒ Voy a dejar de fumar

Ⓓ Voy a estudiar un poco todos los días

Ⓔ Voy a ver más películas en versión original

Ⓕ Voy a ahorrar más dinero

Ⓖ Voy a empezar a escribir mi novela

a. *Marcos quiere hacer deporte todos los días porque piensa que ahora tiene unos kilos de más y quiere adelgazar un poco.*

b. _____

_____

c. _____

_____

d. _____

e. _____

f. _____

_____

g. _____

4 ¿Qué hora es?

① _____

② _____

③ _____

④ _____

⑤ _____

⑥ _____

5 ¿A qué hora empiezan las películas?

LAS OTRAS
15:30

TODO SOBRE MI PADRE
19:45

MI NOVIA SIEMPRE LLAMA DOS VECES
22:00

La manzana mecánica
24:00

6 **Lee el siguiente texto y contesta a las preguntas.**

HORARIOS DE TRABAJO

En España, los horarios de trabajo son muy diferentes. No tienen el mismo horario una tienda pequeña, unos grandes almacenes o unas oficinas de la Administración pública.

Las tiendas pequeñas abren por la mañana y por la tarde y, normalmente, cierran al mediodía, durante la hora de la comida. Los grandes almacenes y muchas tiendas de centros comerciales no cierran al
5 mediodía, tienen un horario continuo, desde las diez de la mañana hasta las ocho y media o nueve de la tarde.

En las oficinas de la Administración pública y en los bancos solo abren por la mañana, de ocho a dos aproximadamente (jornada intensiva). Algunos bancos también abren un día a la semana por la tarde.

En el resto de oficinas y empresas privadas, normalmente se trabaja por la mañana y por la tarde
10 (jornada partida), con una pausa de una hora o dos para comer.

1. ¿Qué diferencias hay entre *horario continuo, jornada intensiva* y *jornada partida*?

_____

_____

2. Mira las fotos. ¿Qué horario crees que tienen?

3. ¿Qué ventajas y desventajas encuentras en la jornada intensiva y en la jornada partida?

jornada intensiva		jornada partida	
ventajas	desventajas	ventajas	desventajas

4. Compara estos horarios con los de tu país. ¿Encuentras diferencias?

_____

Un día de mi vida

1. Javi tiene quince meses y su madre nos está explicando lo que hace cada día.
Escribe cómo es un día en la vida de Javi.

Normalmente, Javi

se despierta sobre las

ocho de la mañana.

_____ _____ _____

_____ _____ _____

_____ _____ _____

_____ _____ _____ _____

_____ _____ _____ _____

_____ _____ _____ _____

_____ _____ _____ _____

_____ _____ _____ _____

_____ _____ _____ _____

2 Como has visto, la vida de Javi es bastante monótona, pero hoy están pasando algunas cosas diferentes.

NORMALMENTE...	pero HOY...
• toma el biberón a las 8.00 h.	• está tomando el biberón a las 9.30 h.
• (jugar) _____ después de desayunar.	• (dormir) _____ .
• (ir) _____ al parque a jugar.	• (jugar) _____ en casa.
• (comer) _____ sobre las 13.30 h.	• (comer) _____ más tarde.
• su padre le (llevar) _____ al parque por la tarde.	• su padre (trabajar) _____ .
• (estar) _____ en casa.	• (pasar) _____ el día en casa de sus abuelos.

3 ¿Qué está(n) haciendo?

AFEITARSE

a) *Se* está afeitando.

b) *Está afeitándose.*

SECARSE EL PELO

a) _____

b) _____

LAVARSE LOS DIENTES

a) _____

b) _____

PONERSE ROPA

a) _____

b) _____

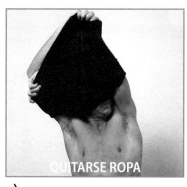

QUITARSE ROPA

a) _____

b) _____

PEINARSE

a) _____

b) _____

4 ¿Qué actividades te sugieren estas imágenes?

Ⓐ

 Ⓔ

Jugar al fútbol. Practicar deporte.

Jugar al tenis.

Ⓕ

Ⓑ

Ⓒ

Ⓖ

Ⓓ

 Ⓗ

5 Imagina que puedes diseñar la programación de una emisora de radio. Piensa en qué programas vas a incluir, con qué contenidos y a qué horas se van a emitir.

PROGRAMAS
Mañana
Tarde
Noche

CONTENIDOS
Música
Cultura
Entrevistas
Noticias locales
Actualidad
Tiempo libre
Tertulias
Humor
Entretenimiento
Familia y hogar

Me gusta estar en familia

UNIDAD 6

① **Completa las frases con *gusta* o *gustan*.**

1. — ¿Te _____ estudiar español?

➤ Sí, claro.

2. — Oye, ¿es verdad que a Luis y a ti os _____ las películas de terror?

➤ Por supuesto, son geniales.

3. — A mí no me _____ dormir la siesta.

➤ ¿En serio? A mí me encanta.

4. — ¿Te _____ estos dibujos?

➤ No mucho, son un poco infantiles, ¿no?

5. — No me _____ nada la comida mexicana.

➤ Pues a mí sí, está buenísima.

② **Forma frases con el verbo *gustar* –o *encantar*–.**

Ejemplo: ¿*(A ti)* _____ *ir al cine?* ⟶ *¿Te gusta ir al cine?*

1. (Al director de la escuela) _____ saludar a todos los estudiantes.

2. (A mí) _____ la música clásica.

3. (A mis padres) _____ viajar al extranjero.

4. (A mi mejor amigo/a) _____ recibir mis correos electrónicos.

5. (A mis amigos y a mí) _____ salir por la noche.

6. (A mí) _____ los fines de semana.

③ **Escribe el presente del verbo *preferir*. Completa el texto con los verbos entre paréntesis (todos tienen la misma irregularidad *e>ie*).**

Mis padres (pensar, ellos) _____ que vivir en el campo es más sano que vivir en la ciudad y (preferir, ellos) _____ pasar largas temporadas en su casa de Segovia.

Mi padre (despertarse, él) _____ pronto y trabaja en el jardín hasta mediodía. Mi madre (preferir, ella) _____ tomar el sol, por eso, (sentarse, ella) _____ en el jardín y lee el periódico o alguna revista.

Su vida en el pueblo es muy tranquila, lo sé, pero yo (preferir) _____ vivir en la ciudad.

PREFERIR	
(yo)	
(tú)	
(él/ella, usted)	
(nosotros/as)	
(vosotros/as)	
(ellos/as, ustedes)	

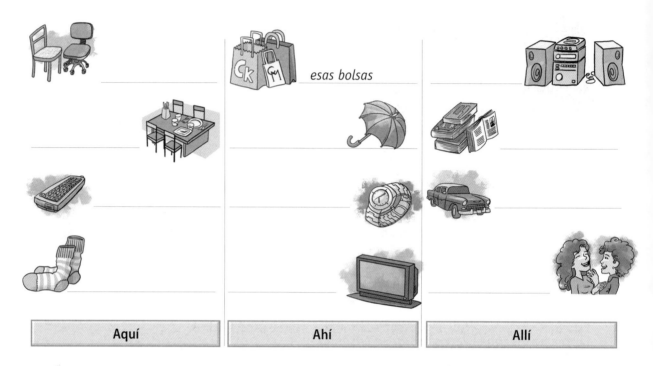

6

4. Mira los dibujos y señala las distancias (*aquí/ahí/allí*) de las cosas utilizando los adjetivos demostrativos correspondientes.

esas bolsas

Aquí	Ahí	Allí

5. Ahora hay un nuevo miembro en la familia de Raquel, su hijo Raúl. Imagina cómo describe Raúl a su familia y escríbelo.

¡Hola! Soy Raúl, el pequeñito. En esta foto estoy con...

6. Lee esta ficha sobre los gustos de un miembro de la familia de Raquel. ¿De quién crees que habla?

En su tiempo libre le gusta escuchar música rock. También le gusta ir al gimnasio, hacer maquetas de aviones y ver a sus amigos del barrio. No le gusta mucho salir por la noche. Prefiere estar en casa y ver una buena película en el vídeo. Le encanta cocinar y, por su trabajo, tiene bastante tiempo libre, trabaja de 8 a 3 de la tarde.

7 Selecciona a un miembro de tu familia y escribe un texto sobre sus gustos y preferencias.

8 Esta es Sofía, la reina de España. ¿Quieres conocer a los miembros de su familia? Busca el árbol genealógico de la familia real española en la dirección de internet *www.casareal.es* y escribe qué relación familiar tienen con ella.

Juan Carlos
su marido

Froilán y Victoria
_____

Leonor y Sofía
_____

Juan, Pablo, Miguel e Irene
_____

Elena, Cristina y Felipe
_____

Iñaki y Letizia
_____

Toda una vida

1 Completa este texto sobre *The Beatles* con las formas adecuadas del pretérito indefinido de los verbos entre paréntesis.

THE BEATLES (1962-1970)

Los "escarabajos" más famosos de la música (comenzar) _____ su carrera musical en Liverpool (Gran Bretaña).

(Editar, ellos) _____ su primer disco en octubre de 1962,

(revolucionar) _____ el mundo con sus melenas y su música

rock y (enamorar) _____ a millones de jovencitas.

Pero el sueño no (durar) _____ mucho.

(Publicar, ellos) _____ su último disco juntos en

mayo de 1970, entonces (separarse, ellos) _____

y (continuar) _____ sus carreras musicales en

solitario. Sin duda, hay un antes y un después de este

grupo en la historia de la música mundial.

2 Escribe en pretérito indefinido estos datos de la biografía de la actriz española Penélope Cruz.

(Nace) _____ en Madrid el 28 de abril de 1974.

A los catorce (empieza) _____ a trabajar como modelo

publicitaria.

El director de cine Bigas Luna (le ofrece) _____ el papel

protagonista de la película *Jamón, jamón* en 1991. En ese mismo año,

(interpreta) _____ un videoclip del grupo Mecano, *La fuerza

del destino*.

En 1994, la película *Belle époque,* en la que participa Penélope, (gana)

_____ el Óscar a la mejor película de habla no inglesa.

En 1998, Penélope (participa) _____ en su primera película en inglés,

The Hi-Lo Country, de Stephen Frears.

El año 2000 (supone) _____ su salto a Hollywood.

En 2006, (es) _____ la primera actriz española en ser candidata a los Óscar

de Hollywood.

En 2007, (rueda) _____ *Vicky Cristina Barcelona*, a las órdenes de Woody Allen.

Penélope Cruz es una de las musas del director español Pedro Almodóvar.

3 Contesta a las siguientes preguntas de forma negativa. Usa los indefinidos del cuadro.

nada	ningún(o)	ninguna	nadie	nunca

1. — Por favor, ¿hay alguna farmacia cerca de aquí?

➤ No, no hay _____.

2. — ¡Hola!, ¿hay alguien en casa?

➤ Venga, vámonos, parece que no hay _____.

3. — Y tú, ¿cuántos sobrinos tienes?

➤ No tengo _____.

4. — Bueno, ¿quieres tomar algo más?

➤ No, gracias, no quiero _____.

5. — Y normalmente, ¿hay mucha gente en esa discoteca?

➤ No sé, yo no voy _____, pero mi hermano sí va a menudo.

4 Formula preguntas sobre las informaciones que te ofrecemos. Usa alguno de los interrogativos del cuadro.

Ⓐ

¿Quién es? _____

Ⓓ

Nombre del emperador

Ⓔ

_____

Ⓕ

Ubicación del Museo del Prado

Ⓑ

Fecha de los últimos Juegos Olímpicos

_____

LOS INTERROGATIVOS

qué

quién/es

dónde

cuándo

cómo

por qué

Ⓖ

Profesión de Tony

Ⓒ

Australia, 1964

5 Lee estos titulares de noticias y reescríbelos en pasado.

INTERNACIONAL

Martes, 9 de febrero de 2009

2008 – Momentos para la historia

Obama es elegido
presidente y cambia
la historia de
Estados Unidos.

_____

_____

_____

_____

_____

_____

La crisis económica mundial
marca 2008 de forma negativa.

_____

_____

_____

_____

6 Lee de nuevo la noticia del apartado *En otras palabras*
y contesta a las preguntas.

LUNES, 30 DE JUNIO DE 2008   SUCESOS

Dos jóvenes rompen la luna trasera
de un autobús porque no paró

Tiraron un monopatín contra el vehículo porque el conductor pasó
por la parada sin detenerse.

a. ¿Quiénes son los protagonistas de la noticia?

_____

b. ¿Qué pasó? ¿Por qué?

_____

c. ¿Cuándo sucedió la noticia?

_____

d. ¿Dónde ocurrió?

_____

¿Y qué tal fue el viaje?

1 Escribe la 1.ª persona del singular (*yo*) del pretérito indefinido de los siguientes verbos y clasifícalos en regulares e irregulares.

Infinitivo	1.ª persona
comer	*comí*
decir	
hacer	
acostarse	
ir	
haber	
visitar	
regresar	

Infinitivo	1.ª persona
ver	
salir	
tener	
poder	
estar	
ser	
volver	
levantarse	

Regulares	Irregulares
comí	

2 Completa los siguientes diálogos con las formas correspondientes de pretérito indefinido de los verbos entre paréntesis. Fíjate en las expresiones temporales con las que usamos este tiempo de pasado.

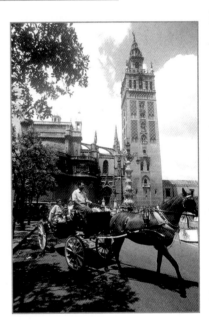

1. — Y anoche, ¿(salir, tú) _____ con Mario?

   ▶ No, al final no (salir, yo) _____, (ver) _____ un poco la tele y (acostarse) _____ pronto.

2. — ¿Qué tal (ser) _____ el viaje del fin de semana pasado?

   ▶ ¡Genial! El viernes por la tarde (ir, nosotros) _____ a Sevilla en el AVE. (Ver) _____ un poco la ciudad y (cenar) _____ en un típico restaurante andaluz. El sábado por la mañana nos llevaron a la aldea del Rocío y al Parque Nacional de Doñana. Por la tarde (volver) _____ a Sevilla y (dar) _____ un paseo en coche de caballos.

   — Y el domingo, ¿qué (hacer, vosotros) _____?

   ▶ El domingo por la mañana (visitar, nosotros) _____ Córdoba y por la tarde (regresar) _____ a Madrid. (Llegar, yo) _____ a casa a las diez de la noche.

3. — Oye, y tú, ¿cuándo (estar) _____ en EE UU por primera vez?

   ▶ (Ir, yo) _____ por primera vez en 1999 y (volver) _____ tres años más tarde, en el 2002.

4. — Carolina, ¿sabes si (haber) _____ clase de inglés el lunes pasado?

   ▶ No, la cancelaron porque la profesora no (poder) _____ ir.

¿Y qué tal fue el viaje?   veinticinco **25**

3 El sábado pasado Mauro fue a Segovia con unos compañeros de la embajada de Portugal. Cuenta cómo pasó el día.

El sábado por la mañana Mauro se despertó a las 9:15 para ir a Segovia con sus compañeros de la embajada.

_____

_____

_____

_____

_____

_____

4 Recuerda y escribe alguna cosa que sucedió o que hiciste en tu trabajo o en tu clase.

— El martes de la semana pasada:

_____

— El lunes por la tarde:

_____

— Ayer, después del trabajo / de las clases:

_____

5 Relaciona cada *verbo + preposición* de la izquierda con un elemento de la columna y escribe frases como la que te mostramos en el ejemplo.

ESTAR EN

el avión

VIAJAR POR

casa

LLEGAR A

África

PASAR POR

la tienda

SALIR DE

el puente

BAJAR DE

la calle

1. *El próximo verano mis padres van a viajar por África.*

2. _____

_____

3. _____

_____

4. _____

_____

5. _____

_____

6. _____

_____

6 Lee la historia de la canción *A la sombra de un león*, de Joaquín Sabina. Después, selecciona una de tus canciones favoritas y resume su historia.

A LA SOMBRA DE UN LEÓN

Esta canción cuenta una historia muy especial, la de un hombre enamorado de una fuente: la Cibeles.

Él se escapó de un centro psiquiátrico, disfrazado
5 de enfermero, para conocer Madrid y ver a su amada Cibeles.

Cuando pasó por delante de ella, la invitó a bailar un vals. Entonces, Cibeles le dijo que estaba sola y le dio las gracias por ir a verla.
10 Él quería hacerle un regalo y robó un anillo en El Corte Inglés, pero un agente de policía lo descubrió y lo detuvo.

Al final de la historia,
15 Cibeles volvió a estar sola y un taxista vio cómo lloraba, en medio de esa ruidosa ciudad llamada Madrid. Los sueños no siempre se hacen
20 realidad.

UNIDAD 9

Ropa de invierno y verano

1 ¿Qué tiempo hace?

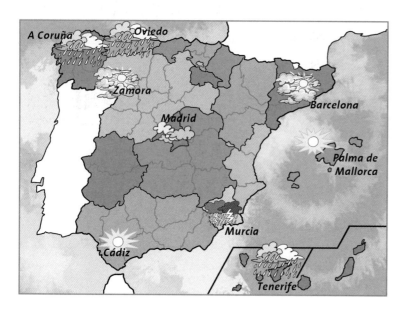

En Madrid está nublado.

	nubes y claros		soleado		nublado
	lluvioso		tormenta		viento

2 Describe cómo es el tiempo en tu país.
¿Qué ventajas y qué inconvenientes tiene?

3 ¿Cómo se llaman estas prendas de vestir? Clasifícalas según se usen más en invierno o en verano –o en ambos–.

Ropa de verano	Ropa de invierno

ELEXPRÉS • cuaderno de ejercicios

4 **Completa los siguientes diálogos con *muy* o *mucho*.**

1. — ¡Vamos, Lucas, es _____ tarde!

   ▶ Tranquilos, no tenemos tanta prisa.

2. — Ese vestido me encanta, te queda
      genial, de verdad.

   ▶ Sí, a mí también me gusta _____ .

3. — ¿Qué te pasa? Estás roja.

   ▶ Es que tengo _____ calor.

   — ¡Mujer, qué exagerada!

4. — Camarero, ¿puede ponerme un poco
      de leche fría? El café está _____
      caliente.

   ▶ Por supuesto, señor, ahora mismo.

5. — ¿Qué tal?, ¿te gusta
      más así?

   ▶ ¡Así está _____
      mejor!

   — Sí, yo también lo creo.
      Ahora está _____ bien.

6. — Aquí hace _____ viento, ¿no?

   ▶ Sí, siempre es así, _____ viento
      y _____ frío.

7. — ¡Uf! He comido _____ y ahora
      estoy _____ lleno.

   ▶ Ya te lo dije, Tomás, comes
      demasiado.

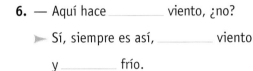

Aquí hace .... viento, ¿no?

Sí, siempre es así, ... viento y .... frío.

5 **Completa con *mucho*, *mucha*, *muchos* o *muchas*, como en el ejemplo.**

muchas maletas

_____ preguntas

_____ gente

_____ coches

_____ dinero

_____ calcetines

_____ amigos

_____ francesas

_____ tiempo

_____ lluvia

_____ aviones

_____ bolsos

_____ libros

_____ sed

_____ problemas

6 ¿De qué color es/son? ¡Cuidado con el género de cada palabra!

LOS COLORES	
-O/-A	**INVARIABLE**
blanco/-a	azul
negro/-a	verde
rojo/-a	rosa
amarillo/-a	marrón
morado/-a	naranja
	gris

el café *marrón*

la sal _____

los plátanos _____

el azúcar _____

el cielo _____

el sol _____

la luna _____

las naranjas _____

el mar _____

la noche _____

el limón _____

los tomates _____

las hojas de los árboles _____

¡mis ojos! _____

7 Lee el siguiente texto. ¿De qué color crees que son tus sueños?

Creo que mis sueños son de color azul, porque para mí el azul es el color de la libertad. Sueño con nadar en un mar infinito, donde las olas me llevan hasta el horizonte; también sueño con el cielo y con la posibilidad de volar como un pájaro. Sí, sin duda mis sueños tienen que ser azules.

8 Completa las siguientes frases con *por* o *para*.

1. Esta tarde no voy a salir de casa _____ la lluvia.

2. _____ ir a Moscú, me voy a llevar el abrigo de piel.

3. Paco escribe solo _____ correo electrónico, casi nunca usa el papel.

4. _____ llegar a Barcelona, tienes que pasar _____ Valencia.

5. ¿Qué tal esta camiseta? _____ mí, es ideal.

6. Raquel vino ayer _____ recoger su maleta.

¿A qué hora te has levantado hoy?

1 Escribe las formas correspondientes del pretérito perfecto.

Infinitivo	Pretérito perfecto
(tener, nosotros/as)	*hemos tenido*
(hacer, vosotros/as)	
(decir, tú)	
(volver, él/ella, usted)	
(poner, yo)	
(vivir, vosotros/as)	
(romper, ellos/as, ustedes)	
(ser, tú)	
(bajar, nosotros/as)	
(salir, yo)	
(abrir, ellos/as, ustedes)	

2 Completa el siguiente cuestionario con la forma de 2.ª persona singular (*tú*) del pretérito perfecto de estos verbos. Después contesta a las preguntas.

estudiar   oír   leer

probar   ir   escribir

pensar   ver   estar

HISPANOAMÉRICA Y TÚ

a) ¿_____ alguna vez a un país hispanoamericano?

b) ¿_____ la novela *Cien años de soledad*, del escritor Gabriel García Márquez?

c) ¿_____ alguna película hispanoamericana?

d) ¿_____ hablar de la Cumbre de Jefes de Estado hispanoamericana? ¿Sabes qué es?

e) ¿_____ la comida mexicana?

f) ¿_____ un correo electrónico a algún amigo de Hispanoamérica?

g) ¿_____ en la selva amazónica?

h) ¿_____ la geografía del continente americano?

i) ¿_____ alguna vez en vivir en el Caribe?

3 Pablo ha salido corriendo de casa porque ha recibido una llamada urgente de teléfono. Escribe qué cosas ha olvidado hacer.

1. *No ha tomado el zumo recién hecho.*

2. _____

3. _____

4. _____

5. _____

6. _____

7. _____

8. _____

9. _____

10. _____

11. _____

4 Completa las siguientes frases con las formas de pretérito perfecto o pretérito indefinido. Fíjate en las expresiones temporales que usamos con estos tiempos de pasado.

PRETÉRITO PERFECTO	PRETÉRITO INDEFINIDO
Hoy	Ayer / anoche
Esta mañana / semana	La semana pasada
Ya / todavía no	En 1974, en enero
Últimamente	El lunes por la tarde
Hace 5 minutos	Hace 5 años

1. — Luis no va a ver la película con nosotros, (acostarse, él) _____ hace cinco minutos.

2. — Hace un año (dejar, yo) _____ de fumar y hasta ahora no (tocar, yo) _____ un cigarro nunca más.

3. — Hoy no (ir, yo) _____ a clase porque mis padres (venir) _____ a visitarme desde Barcelona.

4. — ¡Hombre!, ¿ya tienes el ordenador nuevo? ¿Cuándo lo (comprar, tú) _____?

➤ Hace poco. Lo (instalar, ellos) _____ la semana pasada.

5. — Últimamente (trabajar, tú) _____ mucho. Creo que necesitas unas buenas vacaciones.

➤ Sí, yo también lo creo, estoy muy cansado.

6. — Anoche no (poder, yo) _____ terminar el libro porque (llamar, él) _____ mi amigo Paco y estuve hablando con él casi una hora y media.

7. — María, ¿ya has acabado el ejercicio de español?

➤ No, todavía no (terminar, yo) _____, dos ejercicios más y acabo.

5 Completa libremente estas frases con las informaciones que tú quieras.

1. Últimamente _____

_____

2. La semana pasada _____

_____

3. Ayer por la tarde _____

_____

4. Esta semana _____

_____

5. Hoy _____

_____

6 **Cambia la parte en negrita de cada frase por el pronombre correspondiente de objeto directo.**

Ejemplo: He visto a Rosana esta tarde.

La he visto esta tarde.

a) Ya han abierto las tiendas.

_____

b) Esta tarde he oído el programa en la radio.

_____

c) He conocido a Enrique Iglesias en un concierto.

_____

d) Todavía no he comprado los libros.

_____

e) Ya tengo la nota del examen de español.

_____

f) ¿Has recibido el correo electrónico de Michelle?

_____

g) Ya he entregado la película en el vídeo-club.

_____

Chico, tienes que cuidarte

1 **Completa el siguiente texto con** *duele* **o** *duelen*.

Acabo de salir del gimnasio, después de muchos meses sin ir, y la verdad es que me _____ todo el cuerpo, no siento las piernas, la espalda me _____ muchísimo y los brazos me _____ tanto que no puedo ni levantarlos. ¡Me _____ incluso los dedos de los pies! Sinceramente, creo que lo único que no me _____ es la nariz.

Alguien me ha explicado que en español esto se llama "tener agujetas".

2 **Construye frases con el verbo** *doler*, **como en el ejemplo.**

> *Susana / doler / la cabeza* ➤ *A Susana le duele la cabeza.*

1. los atletas / doler / la espalda _____

2. Paco / doler / todo el cuerpo _____

3. tú / doler / las piernas _____

4. yo / doler / el estómago _____

5. Ronaldo / doler / la rodilla _____

6. el profesor de español / doler / las muelas _____

7. nosotros / doler / la cabeza _____

3 **Completa el dibujo con los nombres de las partes del cuerpo.**

4 Relaciona los dibujos con las expresiones correspondientes y completa el diálogo.

| marearse | tener fiebre | estornudar | toser | doler la cabeza |

— Buenos días, cuénteme qué le pasa.

➤ Verá, doctora, lo cierto es que últimamente no me encuentro muy bien. De repente (yo) _____, hasta 39º. Entonces _____ muchísimo y ni la aspirina me quita este dolor.

— ¿Ha notado también que (usted) _____?

➤ Sí, lo cierto es que a veces tengo la sensación de no pisar el suelo y la cabeza me da vueltas. Por la noche también (yo) _____ a menudo, es una tos seca, que se repite muchas veces.

— ¿Y (usted) _____ mucho?

➤ No mucho, la nariz no me molesta demasiado.

5 El doctor Escudero ha recibido una nota con las instrucciones para el viaje a un congreso de médicos que se va a celebrar en Barcelona. ¿Qué tiene que hacer? Usa la perífrasis de obligación *tener que* + *infinitivo*.

Tiene que estar en la taquilla 19 de Atocha a las diez

menos cuarto de la mañana.

_____

_____

_____

- En Atocha, taquilla 19, a las 9.45 h, recogida de billete.
- Esperar representante Congreso en puerta principal, estación de Barcelona, a las 11.30 h.
- Recogida de documentación en la Secretaría.
- Reunión con el Dr. Martín a las 16.00 h.

6 ¿Cómo reaccionas tú ante estas situaciones? Elige un elemento de la columna e imagina lo que tienes que hacer en cada caso.

a) Ana no está en casa. *Tengo que dejar un mensaje en el contestador.*

b) No llevo dinero suficiente. _____

c) El banco abre en media hora. _____

d) Necesito clases de inglés. _____

e) No queda café. _____

f) Hoy no hay metro ni autobuses. _____

g) No sé dónde está el metro. _____

| solo leche |
| preguntar a alguien |
| esperar |
| tarjeta de crédito |
| anuncio en el tablón |
| andando |
| contestador |

7 **Completa estos diálogos con las preposiciones *por* o *para*.**

1. — Perdone, ¿ _____ dónde tengo que

ir _____ llegar a la calle Prim?

➤ Verá, joven, tiene que pasar primero

_____ esa plaza que ve ahí y luego

girar a la izquierda. Está muy cerca.

— Muchas gracias.

2. — ¿Sabes?, el médico me ha pedido

unos análisis de sangre _____ ver

el nivel de colesterol.

➤ Tranquilo, tú eres un chico muy sano.

3. — Bueno, ha llegado el final de curso y

quiero daros las gracias a todos

_____ este curso tan fantástico.

➤ _____ nosotros también ha sido

estupendo, de verdad.

4. — Cuando termine el semestre, voy a

viajar con mis padres _____ toda

Europa. Y tú, ¿qué vas a hacer, Hans?

➤ Yo voy a continuar en Madrid todo el

verano _____ mejorar mi español.

— Sí, es una buena idea.

5. *Ring, ring…*

— Oye, ¿ya ha salido Pedro? Estoy

esperando desde hace media hora.

➤ Sí, acaba de salir, tranquilo, va _____

tu casa. No creo que tarde mucho.

8 **Lee el siguiente texto y contesta a las preguntas.**

> ### LA CONSEJERÍA DE SANIDAD REPARTIÓ MEDIO MILLÓN DE VACUNAS ANTIGRIPALES
>
> La Consejería de Sanidad de Galicia distribuyó más de medio millón de vacunas contra la gripe en la campaña invernal del año pasado, *para* la población de esta Co-
> 5 munidad, que es de unos tres millones de personas.
> La campaña de vacunación se desarrolló entre los meses de septiembre y noviembre en unos setecientos centros de salud
> 10 distribuidos *por* toda la geografía gallega. Para el Consejero de Sanidad, Antonio Pernas, el programa de vacunación resultó todo un éxito *por* haber llegado a un número tan elevado de personas, ya que es-
> 15 taba basado en una campaña de información de más de cien mil folletos y carteles, así como cincuenta mil cartas enviadas *por* correo a la población de más riesgo.

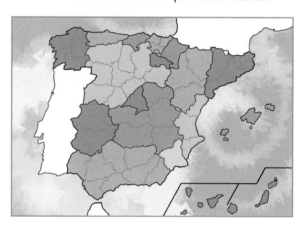

1. ¿En qué consistió la campaña invernal de la Consejería de Sanidad?

_____

2. ¿Dónde se vacunó a la gente?

_____

3. En tu opinión, ¿qué tipo de población tiene más riesgo de sufrir la gripe?

_____

4. Analiza los usos de las preposiciones *por* y *para* señaladas en cursiva, como en el ejemplo. (*línea 4*) *Para* la población de esta Comunidad… ➤ *finalidad, objetivo*

Antes todo era diferente

1 Escribe las formas correspondientes del pretérito imperfecto.

(dar, vosotros/as)
(enseñar, él/ella, usted)
(ver, nosotros/as)
(hacer, ellos/as, ustedes)
(estar, tú)
(vivir, vosotros/as)
(navegar, él/ella, usted)
(leer, yo)
(trabajar, ellos/as, ustedes)
(jugar, nosotros/as)
(ir, yo)
(tener, vosotros/as)
(salir, tú)

→ *dabais* _____

2 Completa este texto que cuenta cómo era Sonia antes y cómo es ahora. Después, compara el *antes* y el *ahora* de Manuel.

Cuando (ser, ella) _____ más joven, Sonia (vestir) _____ de una manera más informal. (Llevar) _____ camisas anchas y pantalones vaqueros. (Tener) _____ el pelo muy largo y rizado; y sus gafas (ser) _____ muy grandes. Ahora (llevar) _____ trajes de chaqueta y su corte de pelo (ser) _____ más clásico. ¡Sin duda, sus gafas (ser) _____ más modernas!

3 ¿Hay muchas cosas que hacías antes y ahora no?, ¿por qué? Contesta como en el ejemplo que te ofrecemos.

> **Antes**
> siempre viajaba con mis padres en vacaciones, pero ya no lo hago. Ahora voy de vacaciones con mi novio y mis amigos.

ANTES	TODAVÍA / YA NO
(tener) muchas vacaciones	
(leer) cómics y libros de aventuras	
(ver) películas de Disney	
(escribir) cartas a los amigos	
(llorar) a menudo	
(tener) la habitación desordenada siempre	
(coleccionar) coches en miniatura	

4 ¿Tienes recuerdos de tu infancia o de cuando eras más joven?
Fíjate en el modelo que te proponemos y escribe sobre alguno de estos temas.

Mi primera bicicleta/moto   **Un recuerdo de mi infancia**   **Mi primer/a novio/a**

Mi primer coche

¿Mi primer coche? Un Peugeot 106, tenía tres puertas y era blanco. Recuerdo que gastaba poca gasolina y nunca tenía problemas para encontrar aparcamiento. Lo llevaba a la Universidad y los veranos viajaba en él con mis amigas. ¡Me encantaba aquel coche!

5 Sustituye estos imperfectos que indican acciones habituales en el pasado por las formas correspondientes de *soler + infinitivo*.

Cuando iba al instituto normalmente veraneaba [＿＿＿＿＿＿] en el pueblo de mi padre.

Mi madre y mi abuela preparaban [＿＿＿＿＿＿] unos desayunos fantásticos. Como mi

abuela sabía que me encantaban sus galletas, siempre las hacía [＿＿＿＿＿＿] para mí

cada vez que iba. Después del desayuno, (yo) salía muchas veces [＿＿＿＿＿＿] al campo

con el abuelo y a menudo pasábamos [＿＿＿＿＿＿] por allí toda la mañana.

6 Relaciona las dos columnas.

mal/bien

descansando

muy cansado

ingeniero

cerrada

en la universidad

rubio

mejor/peor

profesor de español

el mío

abierto

mi marido

está

es

7 Completa los diálogos con las formas apropiadas de *ser* o *estar*.

1. — ¡Hola, Marina!, ¿qué tal te encuentras hoy?

➤ Bueno, parece que ahora (yo) _____ bien, la semana pasada sí que me encontraba fatal, pero hoy (yo) _____ mejor, gracias.

2. — ¿Y Olga y Ana?, ¿sabes si han venido?

➤ Creo que no, (ellas) _____ en casa de sus padres, han ido a pasar el día.

3. — Mira, esta _____ Jessica, (ella) _____ de Estados Unidos.

➤ ¡Hola, Jessica!, ¿qué tal (tú) _____?

➤ Muy bien, gracias, ¿y tú?

4. — ¡Qué bien canta Luis Miguel!

➤ Sí y además (él) _____ guapísimo. ¡Me encanta!

5. — Juan, ¡qué desorden!, ¿se puede saber qué (tú) _____ haciendo?

➤ ¿No lo ves? (Yo) _____ ordenando los armarios de mi habitación y _____ cansadísimo, no puedo más.

— Pues vamos a tomar algo y así descansas un rato.

6. — Y tu mujer, ¿qué hace?

➤ (Ella) _____ profesora de español en la universidad y casi no la veo, siempre _____ muy ocupada.

UNIDAD **13**

Apaguen sus móviles, por favor

1 Escribe las formas del imperativo afirmativo de estos verbos regulares.

	ENVIAR	RESPONDER	COMPARTIR
tú			
vosotros/as			
usted			
ustedes			

2 Completa ahora la tabla con los verbos irregulares.
Después, relaciona las expresiones de la columna con alguno de esos imperativos
y escribe frases como en el ejemplo.

	tú	usted
DECIR		
PONER	*pon*	
SALIR		
VENIR		
HACER		
TENER		
IR		

el paraguas en el paragüero
de la clase un momento
los ejercicios de la página 15
a verme esta tarde
la verdad
paciencia, es mejor
a hablar con el director

1. *Mira, pon el paraguas en el paragüero y así no mojas el suelo.*

2. _____

3. _____

4. _____

5. _____

6. _____

7. _____

3 Escribe las formas correspondientes del imperativo afirmativo
de estos verbos con cambio vocálico *(e>ie, o>ue, e>i)*.

(pensar, tú) _____   (invertir, tú) _____   (recordar, vosotros/as) _____

(sentarse, usted) _____   (cerrar, vosotros/as) _____   (despertarse, usted) _____

(dormir, vosotros/as) _____   (acostarse, ustedes) _____   (probar, vosotros/as) _____

(encontrar, ustedes) _____   (volar, tú) _____   (encender, tú) _____

4 Escribe en imperativo las instrucciones de uso del cajero automático.
La persona utilizada es *usted*.

(Introducir) _____ su clave personal.

(Marcar) _____ la cantidad que desea.

Si es correcto, (pulsar) _____ "Continuar",

si no, (teclear) _____ "Cancelar".

(Comprobar) _____ que todos los datos

de la operación son correctos.

(Retirar) _____ la tarjeta y el dinero solicitados.

5 *Imperativo afirmativo + pronombre*. Escribe las formas como en el ejemplo.

a. (Sacar, tú) la basura.

b. (Coger, vosotros/as) el metro.

c. (Consumir, usted) alimentos integrales.

d. (Borrar, tú) la pizarra.

e. (Beber, vosotros/as) leche.

f. (Abrir, tú) las ventanas.

g. (Bajar, vosotros/as) la televisión.

h. (Recargar, ustedes) los teléfonos móviles.

i. (Enviar, tú) el correo electrónico.

Sácala _____

_____

_____

_____

_____

_____

_____

_____

6 Completa estas frases en las que pides o solicitas algo con el imperfecto de cortesía.

querer	llamar	venir	poder

1. *(Por teléfono)* — ¡Hola! _____ para invitaros a la fiesta del sábado.

¿Podéis venir?

2. *(En el banco)* — Perdone, _____ hacer una transferencia de 300 euros a este

número de cuenta.

3. *(En la tienda)* — Buenos días, _____ a cambiar esta camiseta. ¿Tienen una talla

mayor?

4. *(En la tienda)* — Por favor, ¿ _____ decirme el precio de ese collar, el de la derecha?

7 Formula preguntas para pedir permiso basándote en los dibujos.
Usa la expresión *poder + infinitivo*.

¡Qué bien, fotos!

¿Puedo verlas?

8 Fíjate en las expresiones más habituales cuando hablamos por teléfono.
Después, completa los diálogos telefónicos en los que tú eres quien llama.

EL/LA QUE CONTESTA	EL/LA QUE LLAMA
Para contestar: — ¿Sí? — ¿Diga / Dígame?	Para preguntar por alguien: — ¿Está...? — Quería / quiero hablar con... — ¿Podía / puedo hablar con...?
CUANDO CONTESTA UNA PERSONA QUE NO ES LA PERSONA POR LA QUE PREGUNTAN	
Cuando está: — Ahora se pone. — ¿De parte de quién? Cuando no está o no puede ponerse: — Ahora no está / no puede ponerse. — ¿Quieres dejar un mensaje?	Cuando no está esa persona: — Gracias, llamaré más tarde. — ¿Podía / puedo dejar un mensaje?

1. — ¿Sí?

➤ (Pregunta por Michelle)

— Ahora se pone, un momento.

2. — (Contestan)

➤ Quería hablar con Mario, por favor.

— Ahora no está en casa.

➤ (Quieres dejar un mensaje)

3. — ¿Dígame?

➤ (Pregunta por Pablo)

— ¿De parte de quién?

4. — (Contestan)

➤ Hola, (preséntate)

— Hola, ¿qué tal?

Y entonces le conté mis recuerdos

1 Tu compañera de piso se ha mudado de casa y tienes que mandarle algunas cosas que todavía están en tu casa. ¿Qué cosas le has mandado ya y cuáles todavía no? Escribe frases como en los ejemplos.

		SÍ	NO	
a.	la lámpara pequeña	✓		*Ya se la he enviado*
b.	el álbum de fotos		✓	*Todavía no se lo he enviado*
c.	las cartas		✓	
d.	los CD de música clásica		✓	
e.	la colección de sellos	✓		
f.	las gafas de sol		✓	
g.	la alfombra de su habitación		✓	
h.	el cuadro de Mariscal	✓		
i.	la cámara de fotos	✓		
j.	los diccionarios de francés		✓	
k.	el catálogo de su exposición	✓		
l.	el disfraz de fantasma	✓		

2 Completa los siguientes diálogos con los pronombres personales de objeto directo y objeto indirecto.

1. — ¿Le has dado los libros a Ángel?

➤ Sí, tranquila, _____ _____ di ayer por la tarde.

2. — ¿Seguro que ya entregaste el sobre a la secretaria?

➤ ¡Qué sí, seguro! _____ _____ he llevado esta mañana, antes de clase.

3. — Oye, ¿tú me has cogido las llaves del coche? No están en su sitio.

➤ ¡Uy, lo siento! _____ _____ traigo ahora mismo. Espera un momento.

4. — ¿Ya has enseñado las notas a tus padres o todavía no?

➤ Sí, sí, _____ _____ enseñé anoche, están muy contentos.

5. — A ver, Nacho, ¿quién te ha regalado esta bicicleta tan bonita?

➤ _____ _____ han traído los Reyes Magos porque he sido muy bueno.

— ¡Qué bien!, ¿eh?

6. — ¿A quién le pido la cuenta?

➤ Píde_____ a ese camarero, él nos ha servido.

> ¡Qué gafas tan bonitas llevas!

> Me las ha regalado Manuel.

3 *¿Quedar* o *quedarse*? Señala la forma correcta en cada frase.
Después escribe un ejemplo para cada uno de estos verbos.

CON alguien
A una hora — QUEDAR — EN un lugar → concertar una cita / reunirse con → QUEDARSE EN → permanecer en un lugar
PARA hacer algo

a. — Oye, espérame, **quédate** / queda aquí un momento, ahora mismo vengo.

➤ Vale, vale, no me muevo de aquí.

b. Este verano voy a quedar / **quedarme** en casa, no tengo vacaciones.

c. Ayer quedé / **me quedé** con unos amigos a las cinco para ir a ver la exposición de pintura.

d. No voy a salir hoy, tengo que **quedarme** / quedar en casa estudiando. Mañana hay examen de Matemáticas.

e. — ¿**Quedamos** / Nos quedamos hoy a las siete?

➤ Lo siento, hoy no puedo, tal vez mañana.

f. Me gustaría **quedarme** / quedar en España otro curso más, me gusta mucho vivir aquí.

| QUEDAR | _____ |
| QUEDARSE EN | _____ |

quedar ≠ quedarse

4 Fíjate en los usos del pretérito indefinido y del pretérito imperfecto
en estas oraciones y lee los ejemplos que te proponemos. Después completa
el texto con estos tiempos de pasado.

Anoche, cuando **llegué** a casa, mis padres **estaban viendo** la televisión. → SIMULTANEIDAD DE ACCIONES
                                                                            veían

Anoche, cuando **llegué** a casa, mis padres y yo **cenamos**. → ACCIÓN POSTERIOR
              1.º   2.º

UN ACCIDENTE

El **lunes** por la tarde, cuando yo **estaba paseando** por la calle Princesa, **vi** un accidente. El autobús que **venía** por la calle de la derecha no vio la moto que en ese momento **pasaba** por el cruce, y chocó con ella. Cuando **llegó** la ambulancia, se **llevaron** al conductor de la moto al hospital. El conductor del autobús **estaba** nerviosísimo y **tuvieron** que atenderlo allí mismo.

Cuando ayer le (llamar, yo) _____ por teléfono, (estar, él) _____ en la ducha y, por eso, le dejé un mensaje en el contestador automático. Cuando (salir, él) _____ de la ducha, (escuchar, él)

_____ .

(Quedar, nosotros) _____ una hora más tarde, en la academia. (Haber) _____ exámenes oficiales de inglés y (estar) _____ llena de gente, así que (ir, nosotros) _____ a la cafetería de la esquina.

5 Imagina que esta historia sucedió ayer y escríbela en pasado.
Debes usar el pretérito indefinido y el pretérito imperfecto.

Hoy **es** el primer día de colegio para Daniel. Su madre lo **levanta** temprano de la cama, a las siete y media, porque las clases **empiezan** a las nueve. Daniel está nervioso, casi no desayuna nada, un poquito de leche y dos galletas. Cuando **termina** el desayuno, su madre le **pone** el uniforme del colegio.

A las ocho y media, Daniel y su mamá **salen** de casa, **cogen** el autobús y **llegan** al colegio. En la puerta **hay** muchos niños y niñas que **están** tan nerviosos como él. Los profesores **llaman** en primer lugar a los alumnos nuevos, uno por uno. "Daniel Escudero", **dice** una chica joven que **se parece** a la actriz Gwyneth Paltrow. Entonces, Daniel **se agarra** muy fuerte a su madre pero ésta le convence para ir con la profesora. "Vamos, Dani, ese eres tú, tienes que ir."

Ayer fue el primer día de colegio para Daniel.

_____

_____

_____

6 Completa con el pretérito indefinido o el pretérito imperfecto de los verbos entre paréntesis.

1. A la primera chica con la que (salir, yo) _____ la (conocer, yo) _____ en el cumpleaños de mi primo Juan. Marta (ser) _____ la chica más guapa de la fiesta, (llevar) _____ una ropa muy moderna y (tener) _____ el pelo muy largo. Después de un buen rato, cuando ella (estar) _____ sentada con una amiga (decidir, yo) _____ sentarme a su lado. Entonces (empezar, nosotros) _____ a hablar y después la (invitar, yo) _____ a tomar algo y ¡mira!, no hemos vuelto a separarnos desde entonces.

2. Cuando Ernesto (llegar) _____ a la estación de tren todavía era pronto y, por eso, (entrar) _____ en una de las tiendas para ver lo que (haber) _____. (Encontrar, él) _____ una colección de cromos de fútbol que (tener, él) _____ cuando (ser) _____ pequeño. ¡Qué ilusión le hizo volver a ver aquello! Entonces (recordar, él) _____ que eran unos cromos que (regalar, ellos) _____ en los pastelitos que siempre (tomar, él) _____ en el recreo del colegio con sus amigos. ¡Qué buenos recuerdos! En ese momento (mirar, él) _____ hacia fuera y (ver, él) _____ que el tren (llegar) _____ a la estación.

15 ¿Qué nos traerá el futuro?

1 Escribe las formas correspondientes del futuro.

(estar, nosotros/as) *estaremos*

(salir, tú) _____ (dar, nosotros/as) _____

(llegar, yo) _____ (estudiar, vosotros/as) _____

(saber, ellos/as, ustedes) _____ (poner, ellos/as, ustedes) _____

(escribir, vosotros/as) _____ (hablar, yo) _____

(venir, él/ella, usted) _____ (decir, tú) _____

(regalar, nosotros/as) _____ (haber, él/ella, usted) _____

(querer, él/ella, usted) _____ (poder, nosotros/as) _____

(tener, tú) _____ (llamar, ellos/as, ustedes) _____

(mejorar, yo) _____ (volver, tú) _____

2 Imagina qué te sucederá en estas situaciones futuras.
Escribe frases como en el ejemplo.

"Si llego a tener un puesto muy importante en mi empresa…"

- tendré muchos empleados a mi cargo
- ganaré un buen sueldo
- viajaré a menudo
- pasaré poco tiempo con mi familia

"Si conozco al hombre / a la mujer de mi vida…"

"Si aprendo muy bien español…"

"Si me voy a vivir al extranjero…"

3 Formula deseos con la expresión *(no) me gustaría + infinitivo* y justifícalos.

Me gustaría mucho conocer a Penélope Cruz porque me encantan sus películas y creo que es una actriz muy guapa.

4 ¿De quién/es es/son? Usa los pronombres posesivos correspondientes.

los libros / de Lola   *son suyos*

la película / de Almodóvar _____

las camisetas / (de mí) _____

el teléfono móvil / de Pedro _____

las llaves / (de ti) _____

la poesía / de Federico García Lorca _____

el perro / de Ana y Víctor _____

las canciones / de Enrique Iglesias _____

los muñecos / de los niños _____

el coche / (de nosotros) _____

la cámara de fotos / de Isabel _____

las maletas / (de mí) _____

el ordenador / de mi compañero de clase _____

PRONOMBRES POSESIVOS	
(de mí)	mío/a/os/as
(de ti)	tuyo/a/os/as
(de él/ella, usted)	suyo/a/os/as
(de nosotros)	nuestro/a/os/as
(de vosotros)	vuestro/a/os/as
(de ellos/as, ustedes)	suyo/a/os/as

5 Hemos llegado a la última unidad del primer bloque de ELEXPRÉS.
¿Qué tal llevas el curso? Contesta a las preguntas del cuestionario
que te planteamos y elabora un texto con tus impresiones sobre tu progreso
en español y tus expectativas sobre el resto del curso.

CUESTIONARIO

1. ¿Cómo ha evolucionado tu competencia comunicativa en español...?

	NADA	UN POCO	BASTANTE	MUCHO
– al hablar				
– al escuchar				
– al escribir				
– al leer				

2. ¿Cómo ha(n) mejorado...?

	NADA	UN POCO	BASTANTE	MUCHO
– tus funciones comunicativas				
– tus conocimientos gramaticales				
– tu vocabulario				
– tus conocimientos culturales				

3. En tu opinión, ¿qué hay que hacer para aprender bien una lengua extranjera? Selecciona los tres aspectos más importantes.

1. _____

2. _____

3. _____

4. Tu nivel general de satisfacción respecto a tu progreso en el curso es:

| Bajo | ☐ | Alto | ☐ |

| Normal | ☐ | Muy alto | ☐ |

¡Nos vamos de fiesta!

1 Clasifica estos verbos irregulares y completa los cuatro grupos.

acostarse	caerse	comenzar	contar	conseguir	corregir	dar	despedir	divertirse	doler
dormir	elegir	empezar	encender	encontrar	entender	fregar	hacer	llover	mentir
mostrar	morir	mover	pedir	pensar	perder	poder	poner	probar	querer
saber	salir	sentarse	sentir	servir	traer	valer	ver	vestirse	volver

e>ie

comenzar: comienzo,

comenzamos

e>i

o>ue

Primera persona del singular irregular

2 *Yo, yo y solo yo.* Describe estas situaciones con presentes irregulares ¡Siempre en primera persona del singular!

> Solo la primera persona del singular (*yo*) de estos verbos es diferente.

①

②

¿Dónde está Buñol?

③

CLAC

④

⑤

⑥

DICCIONARIO

③ Relaciona y completa libremente.

Cuando		
	bebo	_____
	llueve	_____
	puedo	_____
	quiero divertirme	_____
Siempre que	pierdo la cartera	_____
	no entiendo una palabra	*la busco en el diccionario ¿y tú?*
	se me olvidan las llaves	_____
Si	tengo tiempo libre	_____

④ Fíjate en estas dos oraciones. ¿Qué diferencias observas?
Después, describe las fotos utilizando las dos estructuras.

a. *En México, la gente celebra el Día de los Muertos el 1 y 2 de noviembre y come dulces en forma de calavera.*

b. *En México, el Día de los Muertos se celebra el 1 y 2 de noviembre y se comen dulces en forma de calavera.*

a. _____
_____
_____

b. _____
_____
_____

a. *El día 31 de diciembre los españoles van a la Puerta del Sol, comen doce uvas y brindan con cava por el nuevo año que empieza.*

b. _____
_____
_____

a. _____
_____
_____

b. _____
_____
_____

5 **¿Sabías que el apóstol Santiago es el patrón de España?**
Completa los verbos en presente que faltan en el texto.

ser (x2)	estar	difundir	descubrir	celebrar
terminar	ordenar	convertir	surgir	

La fiesta de Santiago se _____ el día 25 de julio en toda España pero, especialmente, en Santiago de Compostela, ciudad donde _____ el Camino de Santiago.

El Camino de Santiago _____ una ruta de peregrinación que _____ en la Edad Media.

El objetivo _____ llegar hasta Santiago de Compostela, donde presuntamente _____ los restos del apóstol Santiago el Mayor. Según un relato legendario, el obispo Teodomiro, a comienzos del siglo IX, _____ los restos del apóstol y el rey Alfonso II el Casto _____ construir una iglesia. La noticia se _____ rápidamente por toda la cristiandad y Santiago de Compostela se _____ en objetivo fundamental de las peregrinaciones cristianas.

dar	llegar	venir	construir
deber	ser	fijar	

En la época de mayor esplendor del Camino –siglos XI y XII– se _____ hospederías y hospitales donde se _____ cobijo a los peregrinos y se _____ las principales rutas. _____ todo tipo de peregrinos, de cualquier comarca cristiana de Europa, con intereses, tanto religiosos como económicos.

Pero el Camino de Santiago no _____ solo una vía de peregrinación religiosa, sino que también _____ corrientes de pensamiento, literarias y artísticas.

El estilo románico y gótico le _____ su existencia al Camino.

6 **Elige una fiesta de tu país.**
Escribe el texto para un folleto turístico.

No olvides incluir:
• nombre de la fiesta
• dónde, cuándo
y por qué se celebra
• costumbres:
comida, música, ropa, etc.

Vamos a recordar el pasado

1 Estos verbos tienen participios pasados irregulares. ¿Recuerdas las formas?
Después, escribe oraciones como en el ejemplo.

Infinitivo	Participio
ver	
decir	
morir	
poner	
escribir	
romper	
abrir	
hacer	
componer	compuesto
volver	
cubrir	

1. *«Las canciones de este disco las **he compuesto** sin miedos, sin complejos» (Alejandro Sanz).*

2. _____

3. _____

4. _____

5. _____

2 Escribe las formas correspondientes del pretérito indefinido.

(poner, vosotros/as) _____   (querer, yo) _____

(dar, tú) _____   (haber, él/ella, usted) _____

(tener, nosotros/as) _____   (venir, nosotros) _____

(hacer, yo) _____   (hacer, él/ella, usted) _____

(ser, él/ella, usted) _____   (saber, yo) _____

(saber, ellos/as, ustedes) _____   (dar, vosotros/as) _____

(poner, tú) _____   (venir, tú) _____

3 **Completa con las formas de pretérito perfecto o pretérito indefinido adecuadas.**

a. El domingo pasado (hacer, nosotros) _____ una excursión por el Parque Natural del Río Duratón. (Estrenar, nosotros) _____ el nuevo todo terreno que compramos la semana anterior. (Estar lloviendo) _____ toda la mañana, pero (decidir, nosotros) _____ lanzarnos a la aventura. Desde el aparcamiento de los coches, (bajar, nosotros) _____ por una zona muy resbaladiza hasta el nivel del río, que en esta época del año está muy bajo. (Estar, nosotros) _____ a punto de caernos varias veces, pero nos (gustar) _____ mucho. Creo que volveremos a repetir la excursión.

b. Nosotros también (ir) _____ al pueblo hace tres fines de semana, pero éste (quedarse, nosotros) _____ en Madrid. Las carreteras se atascan mucho y preferimos estar en casa. (Aprovechar, nosotros) _____ para ir de compras de Navidad, (recorrer, nosotros) _____ algunas tiendas del centro y (tener, nosotros) _____ tiempo hasta de ir al Rastro. Esto fue el domingo por la mañana, para cambiar los cromos de la colección de fútbol de Daniel. Por la tarde, (ver, nosotros) _____ la película de *Kung Fu Panda* con los niños. ¡Les (encantar, la película) _____!

c. La cantante Shakira (estar) _____ estos días en España para promocionar su último trabajo discográfico. El sábado (participar) _____ en un concierto a beneficio de la Fundación *Pies descalzos*, celebrado en la plaza de toros de Las Ventas, en el que (intervenir) _____ artistas como Juanes o su buen amigo Alejandro Sanz. El domingo (actuar, ella) _____ en directo en un programa de televisión. Antes de venir a España, (estar, ella) _____ en Francia y en Alemania, donde (obtener, ella) _____ un gran éxito con su disco, especialmente, entre los latinos que viven en esos dos países.

d. En el partido de fútbol de ayer, los jugadores de la selección argentina (demostrar) _____ que forman un gran equipo, como el que jugaba en los tiempos del mítico Maradona. Durante estos últimos partidos del Mundial de fútbol, los argentinos (saber) _____ entenderse a la perfección y hacer un buen juego; así (callar, ellos) _____ las críticas de aquellos que no (confiar) _____ nunca en ellos. Todos los diarios deportivos (señalar) _____ este hecho en sus portadas.

4 Relaciona y forma oraciones usando los verbos en pretérito indefinido.

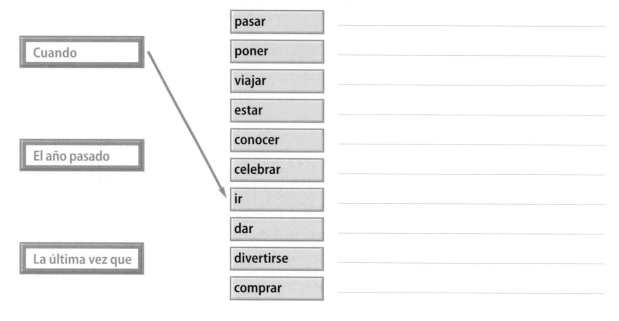

Cuando	pasar
El año pasado	poner
La última vez que	viajar
	estar
	conocer
	celebrar
	ir
	dar
	divertirse
	comprar

5 Lee esta biografía del tenista español Rafael Nadal, en la que hemos introducido tres «mentiras». ¿Cuáles son? Después, escribe la tuya, con esos tres datos falsos, a ver si tus compañeros los descubren.

DEPORTES

EL PERSONAJE DEL AÑO
RAFA NADAL, N.º 1 DEL TENIS MUNDIAL

Rafael Nadal nació en 1966 en Manacor (Mallorca, España). En agosto de 2008 se convirtió en el número 1 de la ATP (Asociación de Tenistas Profesionales), tras haber sido 2.º durante 160 semanas consecutivas.

Ha ganado nueve veces el prestigioso trofeo de Roland Garros y en los Juegos Olímpicos de Pekín 2008 consiguió la medalla de plata.

Entre sus aficiones destacan la pesca, jugar al fútbol y a la *Playstation*.

Vamos a recordar
el pasado: los viajes

1 Escribe las formas correspondientes del pretérito imperfecto y del pluscuamperfecto.

(hacer, él/ella, usted)	Prétérito imperfecto	Prétérito pluscuamperfecto
(vivir, tú)		
(estar, vosotros/as)		
(viajar, él/ella, usted)		
(escribir, ellos/as, ustedes)		
(ser, yo)		
(decir, nosotros/as)		
(dar, tú)		
(romper, ellos/as, ustedes)		
(saber, yo)		
(ir, vosotros/as)		
(leer, nosotros/as)		
(ver, él)		
(poner, yo)		

2 ¿Qué buenos recuerdos guardas de tu pasado? Piensa en uno de ellos y descríbelo. El pretérito imperfecto te va a resultar muy útil.

mi (primera) casa

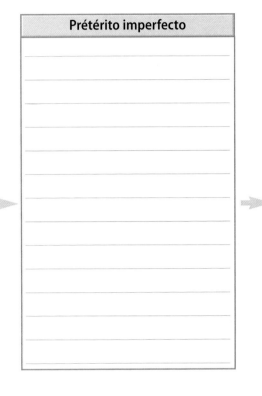

mi primera fiesta

mi primer trabajo

3 Compara cómo era antes y cómo es ahora y señala las diferencias.

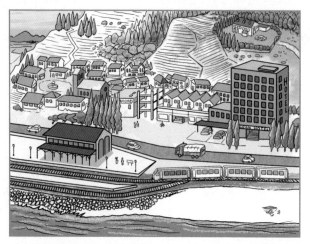

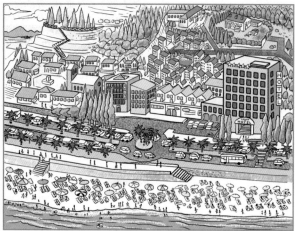

4 ¿Cuál es la diferencia entre estas dos oraciones?

a. Cuando entré en la agencia de viajes, ya había decidido mis vacaciones.

b. Cuando entré en la agencia de viajes, estaba decidiendo mis vacaciones.

¿Qué tipo de relación temporal hay entre los verbos subrayados?

¿Eres capaz de inventar dos oraciones del mismo tipo?

a.

b.

5 Forma oraciones usando el pretérito pluscuamperfecto como en el ejemplo.

Cuando (verbo 1)… + *ya/todavía no* (verbo 2)…

Ver la película de Harry Potter. Leer el libro.

Cuando vi la película de Harry Potter, ya había leído el libro.

Cuando vi la película de Harry Potter, todavía no había leído el libro.

a. Llegar al auditorio. Empezar el concierto.

b. Estudiar español. Viajar a algún país donde se habla español.

c. Entrar en la agencia de viajes. Ver algunos catálogos de vacaciones.

d. Llegar al aeropuerto. Reservar los asientos del avión por Internet.

e. Comprar el coche nuevo. Vender el coche viejo.

f. Subir al autobús. Robarme la cartera.

g. Llegar el cartero. Salir de casa.

6 Imagina respuestas para estas preguntas. Usa, preferiblemente, el pretérito imperfecto o el pretérito pluscuamperfecto.

a. ¿Por qué la profesora no llegó a tiempo al examen de ayer?

b. ¿Por qué no me llamaste para ayudarte con el cambio de casa?

c. ¿Por qué ayer no pudo circular el tren AVE de las 14:00 que une Madrid y Sevilla?

d. ¿Por qué no viniste con nosotros el sábado a ver la película?

e. ¿Por qué no pudisteis llegar a la estación de esquí el domingo pasado?

f. ¿Por qué no sacaste una buena nota en el examen de español?

g. ¿Por qué no entregaste el resumen del libro que nos había pedido el profesor?

¡Ojalá cuidemos mejor nuestro planeta!

1 Clasifica estos verbos irregulares y completa los cuatro grupos.

pagar	soñar	aparcar	ir	dar	llegar	pensar	sacar
ser	tender	saber	marcar	poder	haber	pagar	

o>ue

soñar > sueñe, soñemos

e>ie

g>gu, c>qu

Irregularidades específicas en presente de subjuntivo

2 Relaciona cada verbo con su presente de indicativo.
Después, escribe el presente de subjuntivo correspondiente.

hacer	vengo
coger	construyo
venir	empiezo
pedir	salgo
construir	cojo
poner	hago
empezar	conozco
salir	pido
decir	digo
conocer	pongo

ELEXPRÉS • cuaderno de ejercicios

3 Mira los dibujos y formula deseos.

Ojalá		
Espero que	+	presente de subjuntivo

¡Ojalá deje de llover pronto!

①

②

③

④

⑤

⑥

4 Usa el verbo *querer* para formar oraciones del tipo de las del ejemplo.

(Sujeto 1) **querer**	+	(sujeto 1) **infinitivo**
(Sujeto 1) **querer que**	+	(sujeto 2) **presente de subjuntivo**

No quiero ver la basura fuera de los contenedores.
Quiero que mis hijos aprendan a reciclar.

①

②

③

5 Completa las siguientes oraciones con las formas del presente
de subjuntivo de estos verbos.

| invertir | estar | cumplir | ayudar | aprender | aparecer |

1. Los Gobiernos de todo el mundo esperan que las energías renovables _____

a frenar el cambio climático.

2. ¡Ojalá los países _____ cada vez más recursos en energías renovables!

3. Para nuestros hijos, queremos que la naturaleza _____ limpia.

4. Esperamos que los jóvenes _____ a valorar y usar racionalmente las fuentes

de energía.

5. No queremos que los ríos y los mares _____ llenos de residuos industriales.

6. ¡Que todos estos deseos se _____! Esa es nuestra esperanza.

6 Selecciona uno de los lemas publicitarios sobre reciclaje
que te proponemos e imagina en qué consiste. Explícalo de forma breve.

Ⓐ

**SI RECICLAS LA BASURA,
DEJA DE SER
BASURA**

(Asurín)

Ⓑ

**UN VIDRIO PUEDE TENER
MUCHAS VIDAS.
RECÍCLALO**

(Ecovidrio)

Ⓒ

SEPARAR Y
RECICLAR
ESTÁ EN
TUS MANOS

CAMPAÑA DE RECICLAJE

(Región de Murcia)

Ⓓ

SI NO QUIERES QUE EL SISTEMA
DE RECICLADO SE PARE, ¡SEPARA!

(Federación Andaluza de Municipios y Provincias)

Aprender lenguas

1 Relaciona las formas del imperativo afirmativo con los infinitivos correspondientes. ¿Qué formas corresponden a *vosotros*?

oye	salir
sal	leer
habla	tener
ven	oír
di	hacer
escribe	dar
ten	hablar
pon	ser
lee	venir
sé	escribir
da	decir
haz	poner

vosotros

2 Escribe las formas del imperativo negativo correspondientes a estos verbos.

	tú	vosotros/as	usted	ustedes
ir				
empezar				
volver				
estudiar				
pedir				
poner				
llegar				
seguir				

20

3 ¿Qué órdenes o consejos crees que te darían estas personas?
Ten en cuenta que van a usar el imperativo afirmativo y/o negativo.

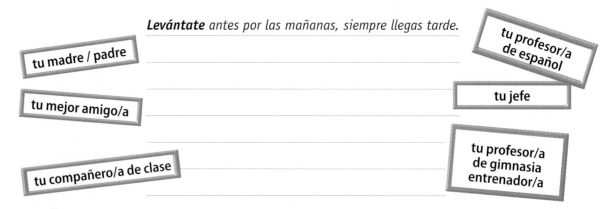

Levántate antes por las mañanas, siempre llegas tarde.

tu madre / padre

tu profesor/a de español

tu mejor amigo/a

tu jefe

tu compañero/a de clase

tu profesor/a de gimnasia entrenador/a

4 ¿Y qué órdenes o consejos darías tú a estas personas? Usa también imperativos.

Britney Spears

La Reina de Inglaterra

Javier Bardem

Fernando Alonso

El/la presidente/a de tu país

Las autoras de este libro

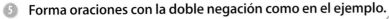

5 Forma oraciones con la doble negación como en el ejemplo.

> nadie
> nunca
> nada
> ninguno (ningún)/a

*Todavía **no** he comprado **ningún** diccionario de español.*

> hacer
> ir
> conocer
> fumar
> viajar
> tener
> querer
> regalar
> comprar

_____
_____
_____
_____

_____
_____
_____

_____
_____
_____

_____
_____
_____

_____
_____
_____

_____
_____

_____
_____
_____

_____
_____
_____

6 Lee esta opinión sobre «No tener móvil» y escribe la tuya.
Te proponemos otros dos temas para opinar.

No tener móvil

En mi opinión, es imposible no tener un móvil hoy en día. ¿Cómo podemos vivir sin estar siempre comunicados? *Yo creo que* el móvil es nuestra manera de estar conectados con el mundo y, *para mí, lo mejor es* su tamaño: ¡algo tan pequeño y que consigue tanto! Yo no puedo vivir sin móvil.

> Yo creo/pienso que…
> En mi opinión,…
> Para mí, lo mejor / peor es…
> Pues yo no lo creo.
> Yo también pienso eso.

no hablar inglés

no tener ordenador en casa

21 ¿Dónde estarán ahora?

1 Escribe las formas correspondientes del futuro simple y del condicional simple. ¡Ojo, todos los verbos son irregulares!

	Futuro simple	Condicional simple
(poder, nosotros)		
(querer, tú)		
(tener, él/ella, usted)		
(decir, yo)		
(valer, ellos/as, ustedes)		
(caber, vosotros/as)		
(poner, ellos/as, ustedes)		
(haber, tú)		
(venir, yo)		
(salir, nosotros/as)		
(hacer, vosotros/as)		
(saber, tú)		

2 ¿Qué harás en los próximos meses? Plantéate proyectos reales y lo que pasará si no los cumples. Usa el futuro.

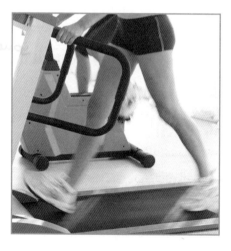

Iré al gimnasio dos veces por semana.

Si no voy al gimnasio, no me pondré en forma.

1. _____
2. _____
3. _____
4. _____
5. _____

3 Mira las imágenes y piensa en las suposiciones que hace Julia para esta semana o la próxima semana.

Quizás nieve en la ciudad, hace muchísimo frío.

Quizá(s)
Tal vez   + presente de subjuntivo
Probablemente

①

②

③

④

⑤

⑥

4 Completa las frases como en el ejemplo.

a. *Quizás viaje a un país de habla española y así podré practicar más mi español.*

b. Probablemente en esta unidad aprenda mejor el futuro y el condicional y así _____

c. Tal vez me den una beca y así _____

d. Quizás nunca aprenda chino y por eso _____

e. Tal vez aprenda a cocinar tortilla de patata y así _____

f. Quizás _____

g. Tal vez _____

5 Forma el futuro compuesto de estos verbos.

	futuro simple del verbo *haber*		
(yo)	_____		
(tú)	_____		
(él/ella, usted)	_____	**+**	participio pasado
(nosotros/as)	_____		
(vosotros/as)	_____		
(ellos/as, ustedes)	_____		

levantarse	(yo)	_____	**salir**	(ella)	_____
volver	(ellos)	_____	**poner**	(yo)	_____
leer	(vosotros)	_____	**creer**	(ustedes)	_____
hacer	(tú)	_____	**estar**	(él)	_____
terminar	(nosotras)	_____	**perder**	(usted)	_____

6 Expresa la probabilidad con el futuro compuesto como en el ejemplo.

HAbc

a. *Parece que tu amigo Roberto no llega a tiempo.*

Viene en coche y habrá encontrado un atasco.

b. El vuelo a París se ha retrasado más de una hora.

Habrá ~~echo~~ hecho mal tiempo.

c. La empresa donde quería trabajar no me ha contratado.

Habrá ~~estado~~ sido porque ~~se~~ mi sido no es bien o professionale.

d. Tu profesor/a de español no ha venido esta mañana a clase.

Habrá ~~sido~~ estado enfermo/o

e. Tú esperabas su llamada, pero tu novio/a no te ha llamado hoy.

Habrá sido porque no ~~te k~~ gusto. gustos

f. Necesitas el coche, pero no has podido encontrar las llaves.

se Habrá llavado ~~por~~

Yo, en tu lugar, trabajaría en el extranjero

1 Completa las siguientes frases con las preposiciones adecuadas.

para	de	en	a

1. — Luis, ¿crees que serás capaz
   _____ **de** ✓ terminar el trabajo
   _____ **para** ✓ entregarlo mañana?
   ➤ Bueno, yo estoy dispuesto
   _____ **a** ✓ terminarlo, pero eso
   depende _____ ~~en~~ **de** ✓ muchas cosas,
   como el tiempo libre que tenga esta
   tarde.

2. — En este trabajo, hay que encargarse
   _____ **de** ✓ las clases de los niños
   más pequeños. ¿Tienes experiencia
   _____ ~~en~~ **de** ✓ dar clase a niños de esa edad?
   ➤ Bueno, la verdad es que tan pequeños no, mis alumnos tenían entre 8 y 10 años, pero creo
   que estoy capacitada _____ ~~a~~ **para** ✓ hacerlo bien. ¡Me encantan los niños pequeños!

3. — Mario, fíjate muy bien _____ **en** ✓ lo que te estoy explicando porque no me estás
   prestando mucha atención, y después te quejarás _____ **de** ✓ que no lo entiendes.
   ➤ ¡Pero es que el subjuntivo es muy difícil!
   — No, no es difícil, ya verás, yo me encargo _____ **de** ✓ explicártelo de una manera más
   fácil y no habrá problema.

4. — ¿Sabes? Acabo _____ **de** ✓ left dejar mi currículum vítae en el centro comercial. A ver si
   tengo suerte y me llaman.
   ➤ ¿Y _____ ~~de~~ **en** ✓ qué consiste el trabajo?
   — Se trata _____ ~~a~~ **de** ✓ cuidar a los niños mientras sus padres compran.
   ➤ ¿Y qué es lo más importante _____ **para** ✓ conseguir ese trabajo?
   — Bueno, _____ **para** ✓ que te acepten, debes tener algo de experiencia _____ **en** ✓
   un puesto similar.

2 ¿Qué consejos darías tú a estas personas? Utiliza estas estructuras.

Yo que tú, Yo, en tu lugar,	+	condicional

Te recomiendo Te aconsejo	+ que + presente de subjuntivo

~~tener~~

a. Me resulta muy difícil encontrar trabajo en esta ciudad.

Yo que tú, pondría un advert en los periodicos.

b. Quiero estudiar un idioma en mi tiempo libre, pero no sé si chino o francés.

Te recomiendo que ~~tra~~ hagas un curso en línea

una beca= a grant

c. Estoy pensando en pedir una beca para estudiar en el extranjero.

¡Yo que tú applicaría pronto!

d. Me gustaría trabajar en una gran multinacional como Microsoft, pero sé que es muy difícil.

Te recomiendo que estudie mucho ahora.

e. Siempre me ha gustado la pintura, pero nunca he tenido tiempo suficiente para dedicarme a ella.

Yo ~~en~~ en tu lugar, organizaría ~~organizta~~ tu tiempo.

organizar= to organise mejor

3 Contesta a las siguientes preguntas. ¿Para qué...?

Para + infinitivo (mismo sujeto)	Para que + subjuntivo (sujetos diferentes)

a. ¿Para qué mandan las televisiones reporteros a otros países?

Para _____

b. ¿Para qué se entrena tanto un bombero?

Para _____

c. ¿Para qué explican los profesores?

Para que los alumnos _____

d. ¿Para qué hay azafatas y auxiliares de vuelo en los aviones?

Para que los pasajeros _____

e. ¿Para qué usamos Elexprés?

Para _____

4 En tu opinión, ¿qué tres requisitos son imprescindibles para ser...? ¿Por qué?

Un/a buen/a profesor/a

Un/a buen/a auxiliar de vuelo/azafata

Un/a buen/a reportero/a

5 ¿Qué actividades puedes hacer ya con el español que sabes?
Señálalas e intenta imaginar alguna situación concreta para cada una de ellas.

a. Puedo describir de forma sencilla mi formación académica, lo que estudio o mi trabajo. ☐
Por ejemplo, para solicitar una beca para estudiar español en un país donde se habla este idioma.

b. Puedo comprender el vocabulario y las expresiones básicas de una oferta de empleo. ☐

c. Puedo redactar de manera sencilla mi currículum vítae. ☐

d. Puedo expresar un consejo o una recomendación a otra persona. ☐

e. Puedo redactar un mensaje para solicitar información. ☐

No es tan malo ser cotilla, ¿no?

1 Forma el pretérito perfecto de subjuntivo de estos verbos.

presente de subjuntivo verbo *haber*			
(yo)	_____		
(tú)	_____		
(él/ella, usted)	_____	+	**participio pasado**
(nosotros/as)	_____		
(vosotros/as)	_____		
(ellos/as, ustedes)	_____		

Es normal que tenga un nuevo novio.

Sí, pero es una pena que haya roto con Tom.

abrir	(yo)	*haya abierto*	**imprimir**	(usted)	_____
comprar	(ella)	_____	**morir**	(nosotras)	_____
decir	(nosotros)	_____	**poner**	(yo)	_____
descubrir	(ustedes)	_____	**ser**	(ellas)	_____
escribir	(él)	_____	**escribir**	(tú)	_____
estar	(tú)	_____	**ver**	(él)	_____
hacer	(vosotros)	_____	**romper**	(ella)	_____

2 Dime cuándo, cuándo... Completa libremente las siguientes oraciones.

1. Cuando _____, dejaré de trabajar.

2. Cuando _____, compro la revista ¡*Hola!*

3. Cuando _____, ya estaba cerrado el kiosco.

4. Cuando _____, haré un viaje por Europa.

5. Cuando _____, me pongo nervioso.

6. Si _____, te llamo y quedamos.

7. Cuando _____, escribiré mis memorias.

8. Cuando _____, me compraré una casa en el campo.

9. Cuando _____, ordeno mis fotografías.

10. Cuando _____, hago yoga.

3 Clasifica las oraciones anteriores según si...

Grupo 1:

es algo que ocurrió en el pasado.

Grupo 2:

es algo que ocurrirá en el futuro.

Grupo 3:

es una rutina, es decir, ocurre siempre.

Grupo 4:

expresa una condición: puede que ocurra en el futuro o no.

GRUPO 1	
GRUPO 2	
GRUPO 3	
GRUPO 4	

4 La "prensa del corazón" informa sobre la vida privada de personajes públicos, en especial, pertenecientes a la aristocracia, al mundo del espectáculo y, recientemente, al mundo del deporte. ¿Qué palabras relacionas con estas publicaciones? Usa tu diccionario.

boda / matrimonio   ¡Hola!   PRENSA DEL CORAZÓN

⑤ Lee este reportaje sobre Elsa Pataky y da tu opinión completando las siguientes oraciones.

LA ENTREVISTA

Elsa Pataky
LA ACTRIZ MÁS DESEADA

Elsa Pataky es, según las encuestas de algunas revistas masculinas, una de las mujeres más deseadas de este país. Pero aparte de guapa, Elsa es una joven trabajadora y emprendedora con un físico que es un arma de doble filo, que en ocasiones la ha ayudado, pero en otras la ha perjudicado.

Con 32 años recién cumplidos, esta madrileña de madre rumana debutó en una serie de televisión y, desde entonces, se ha ido construyendo una sólida carrera como actriz.

► **Ahora estás rodando en Canadá, ¿qué exactamente?**
— Una producción americana, con Samuel L. Jackson. Me apetecía ver cómo se trabaja allí, así que me dije que por qué no, trabajar en otro idioma y aprender.

► **¿Sigues opinando que no hay que tirar la toalla, que sin lucha no hay victoria?**
— Por supuesto, creo que en la vida si algo quieres, algo te cuesta, tienes que perseguirlo. Desde pequeña he sido cabezota.

► **¿Imaginaste alguna vez llegar hasta aquí?**
— Era mi sueño. Cada día de mi trabajo doy gracias por dedicarme a lo que me gusta.

► **¿Eres tímida?**
— Sí, mucho. Al ponerme delante de una cámara no, porque interpretas tu personaje, no eres tú.

Elsa, que ha lanzado hace unos meses su propia línea de joyas, PTKY, es una gran apasionada de la moda.

► **¿Cómo llevas esta faceta?**
— Empezó como un *hobby*, siempre me gustó la moda y me ofrecieron ser la imagen de algunas firmas. Al final, me decidí con mi propia línea de ropa. Es un trabajo bonito. Me encanta y lo disfruto.

► **He leído que no te gustan tus piernas, ¿cómo es posible?**
— Todas las mujeres tenemos nuestros pequeños complejos...

SECRETOS
DE UNA MIRADA DE CINE

FECHA DE NACIMIENTO: 18 de julio de 1946
FAMILIA: padre español y madre rumana
DEBUT: serie de televisión *Al salir de clase* (1996)
CINE: su primer papel importante fue en *Tatawo* (2000)
DISEÑADORA: tiene su propia línea de ropa, PTKY
AFICIONES: lectura

¡En el texto hemos incluido algunos datos falsos! ¿Los has descubierto?

(Extracto de *Semana*)

1. Es verdad que Elsa Pataky _____ una de las mujeres más deseadas de este país.

2. _____ claro que su físico _____ .

3. Es interesante que _____ su primer papel en una serie de televisión.

4. Es _____ que quiera trabajar en otro idioma.

5. _____ imposible que _____ en 1946.

6. Para ella es importante _____ .

7. Es _____ tímida.

8. _____ normal que _____ .

9. Es evidente que _____ .

10. _____ obvio que _____ .

11. _____ .

¿Buscas algo?

1 En los anuncios por palabras del periódico se utilizan estas abreviaturas, ¿sabes qué significan?

A/A _____

E/E _____

ABS _____

ITV _____

¿En qué tipo de anuncios crees que aparecen?

_____

_____

Clasifica estas palabras dependiendo del tipo de anuncio en el que se usan.

airbag	alarma		aseo	amueblado	ático
buhardilla	diáfano	estudio	garaje	oficina	vistas

COCHES/MOTOR

_____   _____

_____   _____

_____   _____

PISOS/INMOBILIARIA

_____   _____

_____   _____

_____   _____

2 Completa las preposiciones que faltan en estos anuncios por palabras.

a	con	de	en
hasta	para	por	sin

INMOBILIARIA

Alquilo buhardilla _____ la zona de Sol, _____ un edificio restaurado, _____ 80 metros, _____ un dormitorio y un baño; _____ mucha luz y amueblado. _____ aire acondicionado. _____ 1 000 € _____ el mes. Ideal _____ una persona o pareja. Si estás interesado, llámame _____ el número 91 908 67 32 _____ las tardes.

VARIOS

Vendo bicicleta _____ montaña _____ niños _____ 10 años. _____ solo 100 €. _____ estrenar. Llama _____ el 91 345 77 30 y pregunta _____ Andrés.

🚗 MOTOR

Vendo Renault 5 _____ ITV pasada. _____ color rojo y _____ el motor revisado. Está _____ buen estado. Llamar _____ 8 _____ 15 horas, _____ el teléfono 666 850 741.

3 Forma perífrasis verbales con los elementos de los cuadros.

1. Acabar		1. _____
2. Continuar		2. _____
3. Deber	**a**	3. _____
4. Dejar		4. _____
5. Empezar		5. _____
6. Estar	infinitivo	6. _____
7. Estar a punto	**de** *(estudiar)*	7. _____
8. Haber		8. _____
9. Ir		9. *Voy a estudiar...*
10. Llevar		10. _____
11. Parar	**que** gerundio	11. _____
12. Ponerse	*(estudiando)*	12. _____
13. Seguir		13. _____
14. Soler		14. _____
15. Tener	**Ø**	15. _____
16. Terminar		16. _____
17. Volver		17. _____

4 Describe los dibujos utilizando las perífrasis anteriores.

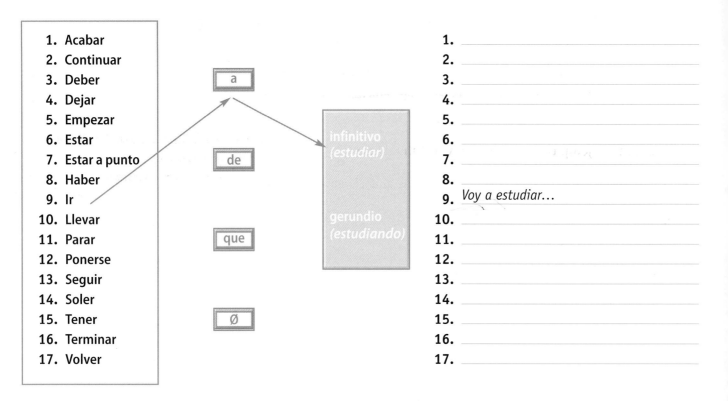

1. ~~Va~~ fue a llegar a la ~~Vely~~ ~~es~~ la biblioteca.

2. Empezó ~~Empezó~~ a estudiar son las diez.

3. Terminó de estudiar son las ~~doce~~ nueve

4. ~~seg~~ Él sigue sacando buenas notas

5. Ha vuelto a ~~estudiar~~ en la biblioteca ~~mañana~~ por la noche.

5 **¿Cuál es la diferencia entre estos pares de oraciones?**

a. Estoy buscando a un chico que estudie arquitectura para que me explique este plano.

b. Estoy buscando a un chico que estudia arquitectura para que me explique este plano.

a. Alquilo un estudio que está en el centro de Madrid. Tiene mucha luz y está amueblado.

b. Busco un piso que esté en una zona tranquila, que tenga dos dormitorios y garaje.

Escribe dos ejemplos que tengan esta misma diferencia.

a. _____

b. _____

> **?** ¿Qué modo verbal utilizamos cuando describimos algo o a alguien que conocemos?
> ¿Y cuando no lo conocemos?

6 **Explica la diferencia que hay entre...**

1. un apartamento y un piso

_____

2. un baño y un aseo

_____

3. un estudio y un piso

_____

4. un ático y una buhardilla

_____

> **?** ¿Qué modo verbal has utilizado?
> ¿Por qué?

7 **¿Cómo quieres que sea...?**

1. Te vas a ir de vacaciones y decides alquilar un apartamento, ¿cómo quieres que sea? ¿dónde quieres que esté?

_____

_____

_____

2. Acabas de dejar a tu pareja porque era una persona demasiado perfeccionista, ordenada, minuciosa, obstinada..., porque no aguantabas tanto orden y perfección. Describe a tu pareja ideal.

_____

_____

_____

¡Qué arte tienes!

1 **Hay algunos adjetivos que cambian totalmente su significado según se usen con *ser* o con *estar*. Une las expresiones equivalentes y escribe una oración con cada una.**

a. ser listo	estar enfermo (persona)
b. estar listo	ser bueno para la salud (cosa, actividad...)
	tener buen sabor (comida o bebida)
a. ser rico	estar preparado para hacer algo
b. estar rico	ser una persona introvertida
	ser guapo, atractivo... (persona)
a. ser una persona abierta	no estar abierto (puerta, ventana...)
b. estar abierto	estar pasado de fecha, caducado (comida)
	ser buena persona o hacer bien algo (persona)
a. ser una persona cerrada	ser inteligente
b. estar cerrado	ser malo para la salud (cosa, actividad...)
	ser una persona extrovertida
a. ser bueno	ser mala persona
b. estar bueno	tener mucho dinero
	no estar cerrado (puerta, ventana...)
a. ser malo	
b. estar malo	

*El lunes Luis no vino a trabajar porque **estaba malo**.*

2 Completa con *ser* y *estar* este texto sobre uno de los cuadros más famosos de Pablo Picasso: *Las señoritas de Avignon*.

Las señoritas de Avignon

→ result of action (considering)

Las señoritas de Avignon, cuadro pintado por Pablo Picasso en 1907. Está considerado una de las principales obras del arte contemporáneo.

Después del denominado período rosa, Picasso se dedicó al estudio de la perspectiva y del tratamiento del volumen.

Las señoritas de Avignon es un óleo de 245 × 235 cm, que está en el Museo de Arte Moderno (MOMA) de Nueva York.
Es un cuadro fundamental que anuncia el principio del cubismo.

El pintor encuentra una solución inédita para conseguir múltiples puntos de vista: rompe los volúmenes y superpone los diferentes planos (así, la nariz de las dos mujeres que están en el centro de la composición está representada de perfil). *→ result of action → representar = to show*
Todos los planos están en la superficie del cuadro y no hay profundidad. Para pintar este cuadro, que está inacabado, Picasso realizó un largo trabajo preparatorio. La escena se sitúa en una casa que está cerca de la calle Avignon, en Barcelona. Los desnudos femeninos continúan la trayectoria de *El baño turco*, de Ingres, y de *Bañistas*, de Cézanne. Picasso propone siluetas simplificadas de contornos angulosos. Los rostros de las dos mujeres del centro son próximos a la tradición pictórica española, mientras que las dos mujeres situadas a la derecha, sombreadas y extrañamente deformadas, son de influencia africana. El arte africano y de Oceanía es algunas de las fuentes de inspiración del pintor.

result → (margin) inacabar = unfinished / acabar = to finish

3 Hay algunos adjetivos que tienen un significado ligeramente diferente si se utilizan con *ser* o con *estar*. Completa con la forma correcta.

→ think: is there a change?

a. La Torre Picasso es un edificio muy **alto**.

b. Itziar mide un metro y sólo tiene dos años y medio... ¡ Está muy **alta** para su edad!

c. He sido siempre una persona **alegre**, pero ahora no sé qué me pasa. *→ ser - past tense*

d. Sara debe de estar a dieta... ¡ Está muy **delgada** últimamente! ¿Verdad?

e. Julia hoy está especialmente **guapa**.

f. ¡Qué **grande** está ! ¿Cuántos años tiene?

g. Siempre ha sido una chica muy **delgada**.

h. ¡Nunca había estado tan **alegre** y tan contenta!

i. Mi sobrino es **guapísimo**..., es un niño de anuncio.

j. El Museo del Prado es demasiado **grande** para verlo en un solo día.

¿En qué casos es una descripción objetiva o una característica permanente?

_____

¿Y una descripción no objetiva o una característica temporal?

_____

4 Completa el cuadro sobre la formas de dar una opinión o hacer una valoración.

Para dar nuestra opinión y hacer valoraciones utilizamos varios verbos:	
	_____ parecer
Opinión/valoración **afirmativa**	Creo que _____
	_____ que + verbo en _____
	_____ que
Opinión/valoración **negativa**	No _____ que
	No _____ que + verbo en _____
	No _____ que
Pregunta	¿ _____ que + verbo en _____ ?
	¿No crees que + verbo en _____ ?
También hay otras expresiones que podemos usar:	
En mi _____ , Para mí, Desde mi punto _____ ,	

5 Estas son las opiniones de varias personas sobre temas relacionados con el arte. Decide primero qué opina cada una y luego da tu opinión.

ANA  DANIEL  ISABEL  PACO  LORENA

En el Museo Reina Sofía hay menos obras de Picasso que en el Museo Picasso de Málaga.

El arte románico es típico del norte de Europa, de Noruega, Finlandia...

La mayoría de las pinturas de Vincent van Gogh no están en el museo de Ámsterdam.

El Museo del Prado no es mucho más grande que el Louvre.

No hay más cuadros de Diego Rivera en México que en el Museo de Arte Moderno de San Francisco.

Ana piensa que _____ . Pero yo no creo que _____ .

Daniel _____ . _____ .

Isabel _____ . _____ .

Paco _____ . _____ .

Lorena _____ . _____ .

¿A qué dedica
el tiempo libre?

1 Completa con los pronombres que faltan en las siguientes oraciones.

él/ella		ellos		le		les		me
	mí		nos		nosotros/as		os	
ti		usted		ustedes		vosotros/as		te

Ejemplo: (A mí) **me** *gusta mucho el campo.*

1. A Luis, mi novio, ___le___ gustan mucho los animales, pero a ___mí___ no.
   Les tengo mucho miedo, especialmente a los perros.

2. ¿Que (a ti) ___te___ gusta salir al campo los fines de semana? No me lo puedo creer.

3. ¿A ___usted~~ vosotras~~___ qué os gustaría hacer este fin de semana? A ___nosotros___ (a Almudena
   y a mí), quedarnos en casa.

4. Tengo varios amigos de Greenpeace. A ___~~los~~ ellos___ ___les___ molesta que la gente no
   recicle y desperdicie agua.

5. ¿Hay algo que no ___les___ guste a ustedes? Podemos cambiar lo que deseen.

6. ¿A vosotros no ___os___ molesta que la gente se cuele en la cola del cine?

7. ¿No ~~usted~~ ___te___ (a ti) molestó que llegara tarde?

8. (A nosotros) no ___nos___ gustaron las dos películas que nos pusieron en el avión...
   Nos dormimos.

9. ¿Qué le gustaría tomar? ¿Y a ___~~me~~ usted___?

10. A ___él/ella___ no le gustó el partido... Fue muy aburrido.

11. ¿Les gustaría a ___~~nosotros~~ ustedes___ venir con nosotros?

¿En qué oraciones formulamos deseos? ¿Qué forma del verbo *gustar* se utiliza?

¿En qué casos hablamos de algo concreto que ocurrió en el pasado? ¿Qué forma verbal

sigue a *gustar*?

2 Escribe las formas correspondientes al presente y al imperfecto de subjuntivo.

escribieron

	presente subj.	imperfecto	
(jugar, tú)	*juegues*	*jugaras*	
(escribir, él/ella, usted)	escriba	escribiera ✓	
(dirigir, yo)	~~diriga~~ ✗ dirija ✓	~~digiera~~ dirigiera ✓	dirigieron
(estudiar, vosotros/as)	estudiéis ✓	estudiarais ✓	estudiaron
(salir, tú)	salgas ✓	salgiras ✓	salgieron
(ganar, nosotros/as)	ganémos ✓	ganarámos ✓	ganaron
(comer, él/ella, usted)	coma ✓	comiera ✓	
(tocar, ellos/as, ustedes)	tocen ✗ toquen ✓	tocaran ✓	
(llegar, yo)	llegue ✓	~~llegiera~~ ✗ llegara	llegaron
(vivir, nosotros/as)	vivámos ✓	viviérámos ✓	vivieron

26

③ Ahora prueba con los verbos cuyo pretérito indefinido de indicativo es irregular.

	presente	imperfecto
(ser, nosotros/as)	*seamos*	*fuéramos*
(decir, yo)	diga ✓	~~dijiera~~ ✗ dijera ✓ estuviera
(estar, tú)	estuves ~~estas~~ estés	estuvieran ~~estuvira~~
(saber, él/ella, usted)	¿ ~~sab~~ sepa ✓	supiera ✓ vinieran ✓
(venir, ellos/as, ustedes)	~~vinour~~ vengan	~~vinieran~~ ~~vengieran~~
(dar, yo)	~~de~~ dé ✓	~~diera~~ diera ✓
(haber, nosotros/as)	hayamos ✓	~~hayaramos~~ hubieran
(decir, tú)	digas ✓	dijeras... ✓
(creer, vosotros/as)	~~creyáis~~ ✗ creáis	creyerais ✓
(hacer, ellos/as, ustedes)	hagan ✓	~~hagieran~~ hicieran ✓

~~they~~ hubieron ⟵

④ Estas son algunas de las cosas que hacen habitualmente
Carlos y/o Alfonso. ¿Cuáles crees que les gustan y cuáles crees que no?

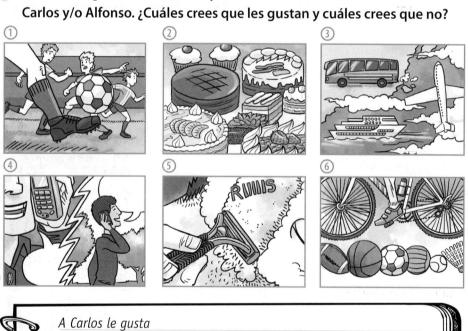

Alfonso. 10 años.

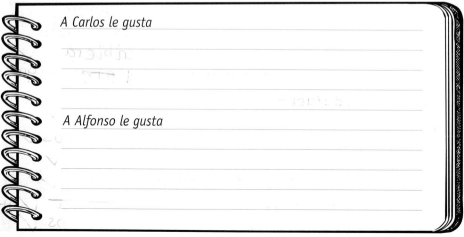

A Carlos le gusta

A Alfonso le gusta

Carlos. 30 años.

5 **¿Qué harías si pudieras...? Completa las oraciones.**

1. Si tuviera más tiempo, _____

2. Si fuera más alto, _____

3. Si supiera hablar perfectamente español, _____

4. Si tuviese una máquina del tiempo, _____

5. Si estuviera de vacaciones, _____

6. Si viviese en Argentina, _____

7. Si estudiara más, _____

8. Si fuese actor/actriz, _____

9. Si jugara bien al fútbol, _____

10. Si me tocase la lotería, _____

¿Hay alguna diferencia entre las formas *fuera* o *fuese* del pretérito imperfecto de subjuntivo?

6 **¿Cuáles son tus deseos?**

1. ¿Cómo te gustarían que fueran tus compañeros de clase?
   Me gustarían que fueran... _____

   _____

2. ¿Cómo te gustaría que fuese tu casa?

   _____

   _____

3. ¿Qué te gustaría que te regalasen tus padres por tu cumpleaños?
   ¿Y tus amigos?

   _____

   _____

4. ¿Cómo te gustaría que fuera tu mujer/marido?

Deje su mensaje después de la señal

1 Completa esta tabla sobre el estilo directo e indirecto.

a. Tiempos verbales

ESTILO DIRECTO	ESTILO INDIRECTO	
	El tiempo no ha cambiado o el mensaje todavía sigue vigente.	El tiempo ha cambiado o el mensaje ya no tiene vigencia.
Presente *"Tengo una reunión a las 9"*	Presente Dice / Ha dicho que _____	_____ Ha dicho / Dijo que _____
Futuro *"Llegaré a las 9 menos 10"*	_____ Dice / Ha dicho que *llegará a las 9 menos 10*	Condicional Ha dicho / Dijo que _____
_____ *"Llega un poco antes"*	Presente de subjuntivo Dice / Ha dicho que _____	_____ de subjuntivo Ha dicho / Dijo que _____

Reflexiona sobre el uso de los tiempos verbales y completa.

> **En casa**
>
> Son las 9, ¿por qué no está en casa?
> *Esta mañana ha dicho / Ayer dijo que tenía una reunión a las 9.*

> **En la oficina**
>
> Son las 8.30, ¿a qué hora llega?
> _____

¿Por qué no ha llegado todavía? Son las 9 menos cuarto...

_____

Le llamé ayer y le dije

_____

Le he llamado esta mañana y le

_____

b. Referencias espaciales

aquí / acá	allí / allá	
"Ven aquí (a mi mesa)"	Ha dicho que vaya _____	
	ese o aquel	
_____	Me ha dicho que quiere ese libro.	
traer	_____	
_____		
_____	**ir**	
	Me dijo que fuera a su oficina.	

2 ¿Sabes cómo se preparan unos buenos espaguetis al pesto? Escribe la receta.

PLATOS SALADOS

Espaguetis al pesto

Preparación: 20 minutos

Cocción: 10 minutos

Ingredientes

- 500 gramos de espaguetis
- un litro de agua
- sal

Para la salsa

- 90 gramos de queso de oveja muy curado o parmesano
- 2 dientes de ajo
- 22 hojas de albahaca fresca
- 15 piñones
- 1 ramito de perejil
- Aceite de oliva virgen y sal

● Primero, pon un litro de agua en una cacerola.

● _____ .

● _____ .

● _____ .

● _____ .

● _____ .

● _____ .

● _____ .

3 Imagina que un amigo te ha dado esta receta y que tú tienes que explicársela a otra persona.

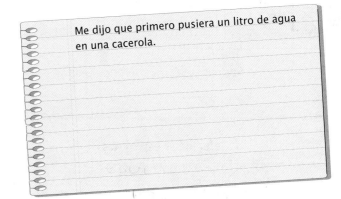

Me dijo que primero pusiera un litro de agua en una cacerola.

4 ¿Pides o preguntas? Fíjate bien en estas dos oraciones.

a. Compra vino de Oporto.

b. ¿Puedes comprar vino de Oporto?

¿Cuál es una pregunta? ¿En cuál se hace una petición? ¿Cuál es la intención final de cada una de ellas? ¿Qué queremos que haga la otra persona? ¿Cuál te parece más formal o menos directa? Conviértelas en estilo indirecto.

27

5 ¿Pedir o preguntar? Elige el verbo adecuado y completa

1. Déjame el coche para mañana.   Me *pidió (que le dejara) el coche para mañana.*

2. ¿Eres la secretaria de Javier?   Me _____

3. ¿Tienes una reunión el lunes?   Me _____

4. Búscame un impreso.   Le _____

5. ¿Puedo dejarle un recado?   Me _____

6. ¿A qué hora llega normalmente?   Me _____

7. ¿Podéis llamarme más tarde?   Nos _____

8. Mándaselo por correo.   Me _____

9. ¿A qué hora sale tu tren?   Me _____

10. Coge mi teléfono si no te importa.   Me _____

6 Este es un fragmento de un cómic de Mortadelo y Filemón, del dibujante Francisco Ibáñez. Cuenta tú la historia en estilo indirecto.

Mortadelo y Filemón están en la consulta del médico. Les van a hacer un reconocimiento médico.

El médico le pide a Filemón que...

Francisco Ibáñez, *El cacao espacial,* 2005, p. 9.